密碼

亦舒

密碼·亦舒

出版：天地圖書有限公司
香港皇后大道東109～115號智群商業中心十三字樓
電話：2528 3671　圖文傳真：2865 2609
香港灣仔莊士敦道三十號地庫（門市部）
電話：2528 3605　2865 0708　圖文傳真：2861 1541

承印：亨泰印刷有限公司
香港柴灣利眾街27號德景工業大廈十字樓
電話：2896 3687　圖文傳真：2558 1902

發行：利通圖書有限公司（港澳）
九龍紅磡民裕街41號凱旋工商中心8樓C
電話：2303 1010（13線）　圖文傳真：2764 1310

一九九六年·香港

目錄

密碼

劉昌源的職業十分特別，他是一名燈塔管理員。

他幾乎廿四小時工作，就是住在燈塔裏。

他不知別人看法如何，他認爲燈塔是世上最美麗的建築物之一。

它們多數矗立在懸崖上，目的是要船隻容易看到苦海裏的明燈。

劉昌源管理的燈塔位在加拿大東岸諾瓦史各沙省的海邊，近哈利佛斯，對牢浩瀚的大西洋，他對驚濤拍岸的景象有充分了解。

燈塔的另一邊是一大片草地，春季，各種野花開放，劉昌源喜歡躺在平原上看書。

朋友來探望他之際都說：「劉，太寂寞了。」

他卻不覺得，怎麼會呢，大自然陪伴他，每當大風雨，他可以看到烏雲迅速在天邊形成，排山倒海席捲過來，電光霍霍、雷聲隆隆，使他敬畏萬分。

風和日麗的早上，第一道金光喚醒他，海洋粼粼發出碧藍光芒，賞心

悅目。

劉昌源從來不覺得寂寞，直到政府宣佈將用電腦取代人手操作燈塔。

他接獲通知後發了好幾日獃，然後，深深的悲哀了。

獨自在燈塔裏居住多年，他身邊除出一大堆書，什麼都沒有，現在，得重新找工作，再一次搞人際關係，他能夠勝任嗎？

其他的燈塔管理員也不表示樂觀，故已聯盟去信政府抗議。

劉昌源心情沉悶，星夜，他到草地散步。

抬頭可以清晰地看到人馬座中最亮的一顆星，它叫南門二，這是肉眼能看見，離地球最近的恒星。

劉昌源深深歎息，忽然之間，他被另外一種亮光吸引，在不遠之處，他看到有人利用燈光在打訊號：亮、滅、亮、滅，劉昌源懂得摩斯密碼，他讀那亮光良久，跟着唸出來。

「……我名，我名馬利安，」對方並非一名熟手，有點錯漏，劉昌源

需作出一些揣測，「願意結交朋友……」

劉昌源奔上燈塔，自高處看去，亮光比較顯著，他大奇，這是誰？世上難道有人與他一般孤寂？

以往，他的視線多數集中在海洋這一邊，接着數日，劉昌源改爲注意岸上。

白天，他看到燈光訊號自何處發出，那是山丘上一條小村莊，有數十間房屋，包括一間教堂與一間雜貨店，密碼可由任何一戶人家傳出。

晚上，他陸續收到密碼。

「你叫什麼名字？可否與我聯絡。」

「別吝嗇你的友誼，讓它開花結果。」

「請伸出你的手來。」

劉昌源終於忍不住，他做了一件十分失職的事，他利用燈塔上的大燈，拍出方圓一百公里都看得見的密碼：「馬利安，我願與你通訊」。一

共三次。

第二天，有船隻致電問他：「誰是馬利安？」

劉昌源答不上來，十分汗顏。

「我得知電腦將取替你們這一羣管理員。」

「是。」劉昌源無奈。

「你等盡忠職守，不應受到淘汰，況且，電腦不懂隨機應變，船隻恐怕會有損失。」

劉昌源感喟。

馬利安的訊息不易讀，通常十分混亂，可是劉昌源有的是時間，更多的是耐心，他會用整個晚上解碼，得到他需要的句子。

「知己難覓！極不甘心。」

「人生無奈，唯有隨機應變。」

「鼓起勇氣，應付將來。」

不知怎地，劉昌源從馬利安的訊息裏得到極大安慰。

他到村裏去巡過，小小吉甫車兜匀整個村莊，村民和藹地與他打招呼，都知道他是管理燈塔的黃種人劉君。

可是，密碼由誰家發出？

劉昌源不得要領。

神秘的馬利安倒底是誰？

劉昌源想像她是一個年輕貌美的紅髮女郎，每晚坐在窗前，看着燈塔，一手拿着蘋果吃，另一隻手在翻閱摩斯電報手册，然後聚精會神，開亮電筒，發出一明一滅的消息。

那天晚上，她說的是：「或許，我們可以見個面。」

劉昌源大喜過望，連忙回覆：「請說出時間地點。」

正在此際，電話響了。

劉昌源一顆心幾乎由胸膛中躍出，這，不會是馬利安吧。

「劉，壞消息，政府不爲所動，從下月起我們將分批捲鋪蓋。」

劉昌源沉默。

「公會會代表我們爭取遣散費。」

對方講完便掛斷電話。

一直到昌源離開燈塔，他都不知道馬利安是誰。不過，有一件事錯不了，她肯定是他的朋友。

她在他最徬徨的時候給他友情，她不知道那對一個孤寂的人來說是多麼重要。

他考慮在報上刊登尋人廣告要求與馬利安見面。

劉昌源駕車離去之前，猶自戀戀不捨地看着燈塔，以及馬利安居住的村莊。

劉昌源永遠不會看到這一幕：在村中，一戶最普通的人家，吃完晚飯，年輕的母親處理妥家務，喚七歲的女兒與六歲的兒子上床。

她笑着問：「眞淘氣，你們一直在玩這個遊戲？」

只見兩個孩子把臥室內的燈一開一關，亮光不住閃動。

「夜深了，明日還要上學，快關燈。」

那女孩還不甘心，順手把燈掣再撥動幾下才跳到床上。

這，就是劉昌源收到的密碼。

服務

這是一個已經安排好的約會，甲一敲響酒店房門，乙立刻將門打開。

甲看到乙，笑了笑，放下公事包。

乙輕聲問：「對房間還滿意嗎？」

那是間佈置雅致的豪華套房，一切以白色爲主，十分舒適，乙彷彿到了已經有些時候，沙發上有打開的雜誌。

甲說：「對不起，這個會一直開到六點半。」

乙幫甲除下外套掛好，「累了吧？」

「簡直累得賊死，嗤，這眞是狗一般的生涯。」

乙輕笑，「連你們都這麼說，那我們還怎麼辦呢？」

乙取出冰桶，手勢純熟，將香檳瓶子轉兩轉，取出抹乾，卜一聲啓塞，斟一杯給甲。

甲一飲而盡，笑容比較自然，癱瘓在沙發上，歎一聲：「賤命又這樣被揀回來了。」

乙一聲不響替甲脫掉鞋子，按摩甲的足趾。

甲毫不掩飾地說：「嘩，舒服。」

乙含笑看甲一眼，年輕的面孔光潔悅目，甲在心中歎口氣，居然還有人一直問：爲什麼要買笑，整個下午，會議室裏坐滿上了年紀的人，臉皮打褶，神情萎靡，咳嗽頻頻，看了令人煩膩，不知怎地，卻都練成一副攢錢的好本事，談起生意來，數目字論億計。

甲伸出手去，撫摸乙的臉頰，「我有禮物給你。」

乙笑道：「有人告訴過我，你十分慷慨。」

甲自公事包內取出一隻長扁盒子，「一隻手錶而已。」

乙訓練有素，十分大方收下，卻未即時打開，連聲道謝。

甲納罕，「你不拆開看看？」

「一定是最好的，我留待服務完畢才拆看。」

「服務？」

「是，我會向你提供最佳服務，使你鬆弛下來，渾忘白天的勞苦。」

甲十分喜悅，開了句玩笑，「勞苦擔重擔的人，到你這裏來是有福了。」

乙替甲推拿酸軟的肩膀。

「這裏，這裏，靠左一點，哎唷，酸痛得似捱過一頓毒打。」

乙輕輕說：「其實，像你們這樣身份的人，名利雙收，還何必辛苦？反正錢都花不光了。」

甲伏在沙發上忍不住笑，「你是指退休？」

「是呀，也好享享清福。」

甲笑意更濃，「你看英女皇伊利莎伯二世還不肯退下來，何況是我們，不上班，做什麼？悶死人！」

乙無語。

甲渾身肌肉漸漸鬆下來，他講下去：「再說，多年征戰廝殺，方到今

日地步，傲視同儕，不知多過癮，怎麼可以輕易言退，當然要多享受幾年。」

說到這裏，甲豪氣頓生，眸子綻出精光，哈哈大笑，把乙嚇了一跳。

乙輕聲說：「吃點水果。」

甲說：「你倒善解人意。」

乙答：「看你身形維持得那樣好，便知你對飲食十分節制。」

甲感喟，「老了，同從前是不能比了。」

「來，」乙拉起甲的手，笑道：「讓我們來尋歡作樂，且莫理外邊是否天老地荒。」

甲身不由主跟着乙走。

類此服務，甲已享受過多次，深覺滿意。

甲的網球拍檔曾詫異地問：「你眞認爲錢可以買得到愛？」

甲大笑，揶揄答：「愛？你倒想，誰會把愛情賣給你。」

「那你買的是什麼？」

「我買的是笑。」

既然有這樣徹底的了解，當然不會失望，所以甲每次都能高高興興的來，開開心心的走。

而且每次都換一個人。

甲不想在歡場與任何人發生感情，亦不欲與服務員敍舊：「好嗎，上次見面至今，已有個多月……」甲所需要的，不過是片刻歡愉。

這個時候，甲問：「幾點鐘了？」

「才九點多。」

甲說：「我先走一步，明天一早還有事。」

乙乖巧地說：「我送你出去。」

「你的服務叫人滿意。」

乙忽然訕笑：「可是，沒有滿意到令你問我的名字。」

甲看着乙：「你會把眞姓名告訴我嗎？」

「只怕你不想知道。」

甲應道：「說得對，這些年來，我已把自己訓練得不再對任何人的事戀戀不捨。」

乙幽默地替客人補上一句，「除卻錢。」

甲承認：「除卻錢。」

甲說完笑了，伸手撥了撥頭髮，中年的她堪稱風韻猶存，舉手投足有一股揮灑自如的魅力，她坐在椅子上，由乙替她穿上半跟鞋。

乙接着幫她套上外衣，把公事包遞給她。

她輕輕撫摸他強壯的雙肩，忍不住說：「儲些錢，將來做盤生意，也是個打算。」

乙笑：「可是，令美麗的女士如你快樂，更是一項重要的差使。」

她一怔，呵呵大笑。

他說：「下次，叫他們給你費比奧。」

她不置可否，笑笑拎起公事包離去。

樓下有公司車子等她。

司機恭敬地說：「總經理，管家打過電話來，說大小姐有熱度，已經叫了醫生診治。」

她聳然動容，「那快趕回家去。」

司機聽了，連忙加速，大型房車如一支箭般射向公路。

認人

問到李蓉，她喜歡麥建文什麼，她答：「第一次見到他，就被他眼睛吸引，那雙眸子不但精神，且熱情揚溢，似會說話。」

眞沒想到那麼斯文的麥建文會有一對如此吸引異性的眼睛，接着，李蓉又加上一句：「彷彿是在什麼地方見過。」

戀愛中男女總願意相信所有姻緣是前世注定的。

李蓉與麥建文的相遇過程其實十分普通，在一個洪姓朋友後花園的泳池派對裏，她正坐着享受藍天白雲，忽然之間，看到麥建文向她走來。

麥建文的神情十分興奮，又帶着點訝異，像是要說：「怎麼會在這裏看見你？」

世界上的人多如恒河沙數，這看似平凡的偶遇，機會率最多只有千萬分之一，李蓉與麥建文的確有緣分。

李蓉見他注視她，便向他微笑，她心中想，這雙眼睛，在何處見過，好不熟悉。

麥君已經過來自我介紹：「你好，我叫麥建文。」

他們就是這樣開始約會。

漸漸發掘對方更多優點，像他是專業人士，在法庭辦事，煮得一手好菜，愛攝影，而且這種嗜好直接使李蓉得益，每個週末，她不愁沒家常小菜吃，並且，終於拍到她理想中的人像照片。麥建文也發覺李蓉樂觀、爽朗、有正義感，呵，還有一點不知重不重要，她頗有妝奩，名下有五間公寓收租，不過，她照樣在雜誌社擔任編輯一職。

他倆戀愛過程十分順利，到二人覺得約會後分手各自返家是一件頗爲痛苦的事之際，麥君向李蓉求婚。

鑽石指環放在小小絲絨盒子裏，李蓉欣喜地取出套在左手無名指上，麥建文鬆口氣。

這時，小麥咳嗽一聲。

李蓉笑容滿面，「你有話要說？」

小麥也微笑：「是。」

「你想向我坦白過去的汚點？」

小麥趨近些，「不，我是純潔的，你是我頭一個女朋友。」

李蓉笑不可抑。

小麥看着她，李蓉注視他雙目，仍然覺得她以前見過這雙眼睛。

麥建文說：「你不是一直說，你在洪妙華家泳池邊正式認識我之前，彷彿已經見過我？」

李蓉擺擺手，「那不過是潛意識。」

「不，我們的確見過面。」

李蓉跳起來，「你說什麼？」

麥建文清清楚楚地說：「我們見過。」

「什麼時候？什麼場合？」

麥建文笑：「你不記得了。」

李蓉訝然，不可能，麥建文身段樣貌均十分出衆，她若見過他，斷然不會忘記。

麥建文又笑着重複，「你不記得了。」

李蓉不服氣，「給我一天時間，只要眞的見過，我一定會有印象。」

「好，那就考考你的記性。」

那一天，李蓉就沒睡好，躺在床上，緩緩地搜索記憶，自小學一年級開始，他會是她的小同學嗎，抑或是鄰居？她在中一參加過天象班，他也是會員嗎，大學裏肯定無他，他一直在英國求學……

在什麼地方見過？一次車子在郊區與人輕微碰撞，對方車上乘客有他這個人嗎，幸虧那次她一直維持風度，會是舊同事嗎，會是四表舅母娘家親戚嗎，到底在什麼地方見過？

李蓉無論如何想不到。

她的記憶力一向非常好，這次失敗令她不服氣。

但是李蓉知道麥建文說的是眞話，因爲她一直覺得他那雙眼睛熟悉。

一天過去，李蓉咳嗽，懇求麥建文：「給點提示。」

麥建文笑，「好，一：是在辦公的地方，二：那地方有許多人在，三：此事發生不出一年。」

這已經是很明顯的提示了，幾乎把線索送到李蓉面前，可是李蓉仍然沒有答案。

她甚至把認識麥君之前一年的記事本逐頁查閱，她所有約會都記錄在裏邊，可是照樣不得要領。

唏，李蓉抓破頭皮。

終於厚着臉皮說：「我找不到答案。」

麥建文板臉，「你沒好好想。」

「我有啦。」

「你這沒心肝的人，我要懲罰你。」

「是該賠償，不過，你得先把答案告訴我。」

「不，我要你一生不得要領。」

「千萬別！」李蓉魂不附體，「太可怕了，把答案告訴我吧，什麼條件都可以。」

麥建文歎口氣，「我也不忍心叫你一輩子心掛掛，我們到底是夫妻了。」停一停，「這樣吧，你從眼睛想起。」

眼睛……公衆場所……一年前……

要命，還是想不起來。

麥建文既好氣又好笑，「是件大事哪，你因此得到一枚好市民勳章。」

李蓉詫異：「那件事？幪面劫匪搶劫銀行之際我剛好在場，事後到警局認人，我認出他手背上飛鷹紋身，此事與你何關，當時，你也在銀行？」

「不，我不在銀行，我在警局。」

「不，警局裏沒有你。」

「有啦，認人之時，站在你面前共有五人幪面，只露出一雙眼睛——」

李蓉叫起來，「你客串疑匪！」

「可不是，該案起碼有三十名目擊證人，只有你挺身而出，英勇作證，令匪徒繩之於法，我十分欣賞欽佩，幾乎在該剎那就愛上你。」

怪不得，那雙眼睛，那天，她的確感覺到有一雙眼睛在凝視她。

「在洪妙華家再遇，喜出望外，還怎麼肯放過。」

「爲什麼到現在才告訴我？」

「我怎麼知道原來你認人本事稀鬆平常。」

凝視

那樣相愛也沒有到老。

陳成祖記得雲生喜歡凝視他，不論他在讀報紙，或是閉目養神，甚至是喝咖啡，她都在一旁笑吟吟專注地看着他，一次雲生忽然說：「有一天還是不得不離開你。」語氣充滿惋惜。

「怎麼會，」陳成祖也看着愛妻，「你要去何處？」

「人總有辭世之日。」雲生黯然。

「屆時我們已經是老公公老婆婆了，那麼遠的事想來作甚。」

雲生看着他說：「不要緊，我死後照樣回來看你。」

成祖噫一聲跳起來，「你說什麼？」

雲生笑嘻嘻，「你怕？」

「當然不怕，但是，喂，我們別再討論這個問題好不好。」

雲生以後果然沒有再與成祖說起這件事。

那日她出門上班，像往日一般取過外套與公事包，臨走時說：「記得

晚上要到端木家吃飯。」

成祖抬起頭，「是乘譚華錦的順風車嗎？」

「是。」雲生關上門走了。

成祖在報館上班，可以晚一點出去。

成祖記得很清楚那天是八月一日，上午十時，他正在書房改一篇特稿，電話鈴響了。

不知怎地，他似有預兆，覺得鈴聲異常空洞悲愴，不想去接，終於取起聽筒，那邊卻是警局，告訴他，謝雲生遇到車禍，情況危殆，請他即時趕去醫院。

事發突然，震央一時間未及思維深處，成祖居然不覺太大傷痛，非常冷靜地即時出門叫車到醫院去。

雲生已在彌留狀態，成祖輕輕握住她的手。

他問醫生：「她痛苦嗎？」

醫生搖搖頭，「她已毫無知覺。」

成祖抬起頭，雲生驀然離去，甚至沒有說再見。

「我們在她手袋內找到同意捐贈器官證書。」

「是，她同我說過，萬一有機會，她願意把所有完好的器官捐出。」

「她一定是個極之善良慷慨的人。」

是，雲生確是那樣的人。

她在當天晚上十時許離開這個世界。

算一算，結了婚還不到一年。

小公寓裏到處還有她清脆歡笑聲的回音，真沒想到，她走得那樣早。

成祖不久搬了家，轉了工作，最後，隨着家人移民。

轉瞬間數年過去，他始終沒有再找到對象。

這時候，最痛苦的階段已經克服，他說話漸漸有一點幽默感，嘴角肌肉可以微微蠕動，作出狀若微笑表情，換句話說，他已有能力恢復社會活

動。

但是無論什麼時候，他抬起頭，都彷彿看到雲生在笑吟吟凝視他，「成祖，我會回來看你」。

他知道他永遠不會忘記愛妻謝雲生。

一次，在朋友的生日會中，他負責司琴，一曲既畢，大家鼓掌起哄，忽然之間，成祖看到有一個可人兒遠遠地看着他笑。

成祖心念一動，這是誰，面孔卻是陌生的呢，他走近她，一晃眼，不見了她的影子，不禁有點惆悵，可是一轉身，又在另一角落看到了她，又有意外的驚喜。

成祖過去打招呼，冒昧地說：「你的眼神有點熟悉。」

「我叫婁家敏，是主人家表妹。」

成祖側着頭，「我們從前可有見過？」

那位婁小姐笑，「肯定沒有。」

他們自那天開始約會。

成祖簡單地把過去告訴家敏，他在六年前結過婚，妻子因車禍去世。

家敏懂事而沉着，一個問題也沒有，何須問，在成祖雙目中已可看到他對亡妻深切的懷念。

接着一段日子裏，成祖處處表現他已有能力從頭投入感情。

他十分喜歡家敏，說也奇怪，她與雲生有許多相似之處，兩個人都愛笑，都不拘小節，像雲生一樣，家敏也喜歡凝視他。

成祖暗暗感喟：先是被雲生熱烈的目光寵壞了，接着又是家敏，陳成祖何其幸運。

深夜，他在家中默禱，抬起頭，看到一輪明月，雲生，他說，是你派家敏前來陪伴我的吧。

第二天，他靜靜對家敏說：「我倆從此以後在一起生活你說如何？」

家敏笑了，迫切而愛憐的看着他，「我一時間分不清你是想同居還是

想結婚。」

成祖看着她眼睛，「我想餘生與這雙眸子度過。」

「呵，那肯定只有結婚一途。」

「大概這算是答應了。」

「感情這回事，要猜來猜去才有意思，一旦落實，就沒有味道了。」話是這麼說，——家敏可是從來沒有作弄過成祖。

婚禮非常簡單，婚後生活十分愉快。

某星期六下午，成祖在書房整理私人文件，家敏捧着茶點進來，他順口同她說：「護照、結婚證書、大學文憑全在這裏，呵還有，這是我的器官捐贈卡。」

家敏略覺意外，「你願意捐贈器官？」

成祖笑，「屆時也許衰老不堪，器官早已失去功能。」

家敏緩緩走近說：「我十六歲那年因意外左目失明，如無善心人捐出

角膜移植，至今不能視物。」

成祖怔住。

家敏說：「所以我與你志同道合——」

「慢着，那是幾時的事？」

「六年前的八月八日，我還請醫生破例把那位好心人的名字告訴我，好讓我紀念她。」

「她叫什麼？」

「她叫謝雲生。」

成祖猛地抬起頭，正好看到家敏凝視他，成祖在該刹那淚盈於睫。

瘡疤

王錦芳坐在郭氏偵探社的辦公桌前，凝視小郭。

她輕輕說：「小郭先生，爲何約我前來？我並不認識你。」

小郭欠欠身，「是，王小姐，可是，你認識我的委託人。」

王錦芳仍然十分好耐心，她問：「你的委託人又是誰？」

小郭咳嗽一聲，像是想賣一個關子。

偵探社內空氣調節十分舒服，桌上的龍井茶香氣撲鼻，小郭臉容凝重，錦芳不介意逗留十多廿分鐘聽他把話說清楚。

小郭開口了：「王小姐，你得聽我從頭說起。」

「郭先生，你請講。」

小郭先沉默一會兒，清清喉嚨，然後以旁述員的語氣道：「史蔑夫松尼恩博物館的規模眞是大得驚人。」

什麼，錦芳一怔，史蔑夫松尼恩博物館？

他同她談博物館？

「王小姐，你聽過這間博物館嗎？」

好一個王錦芳，不愧是執業大律師，極好涵養，不動聲色地笑笑，「聽說過，相傳某英國貴族生下私生子後將孩子送往美國並且叫他姓史蔑夫，後來貴族去世並無其他後裔故將全副財產給這名孩子，這是該博物館無限大基金的來源。」

小郭頷首，「博物館藏品包羅萬象，超乎想像，他們甚至在巴拿馬運河附近佔據一小島，生態學家以其爲基地，專門研究島上熱帶雨林生物進化。」

錦芳說：「小郭先生，你叫我上來，是談論博物館寶藏嗎？」

「不，」小郭說：「但是你需把話聽完。」

錦芳心中疑竇越來越濃，憑直覺，她相信這位小郭先生不是浪費她時間的人。

小郭說下去：「十多年前，因機緣巧合，我參觀了史蔑夫松尼恩博物

館一個十分奇特的收藏館。」

錦芳看着小郭先生。

「收藏品，都浸在防腐劑中。」

錦芳聽到這裏，打個突。

「收藏品物全部十分可怖，故此，從不公開展覽。」

錦芳忍不住問：「都是些什麼？」

「統是畸形的生物。」

「呵，」錦芳毛骨悚然，「包括人類吧。」

「是。」

錦芳越聽越奇，這一切，倒底與她何干？

小郭說下去：「我第一次看到獨角獸、三頭狗、無面人……據博物館研究，生態受輻射元素毒害，會產生匪夷所思的畸胎。」

錦芳終於攤攤手，「郭先生，我的時間有限，話題雖然有趣，可是

——」

小郭卻自顧自說下去：「我看到一具最奇特的標本，從中國採來，不是親眼目睹，一直還以爲是項傳說。」

錦芳當然有好奇心，她呑一口涎沫，「那是什麼？」

小郭抬起頭來，「人面瘡。」

「什麼？」

「相傳不幸之人遭怨毒之氣糾纏，會在腰間長出毒瘡，大如拳頭，成形後衍生五官，面目猙獰，睜目咧齒，吸人精血而活，直至事主身亡，它又化爲怨氣而去。」

錦芳低呼：「可怕！」

「我看到那個瘡時也如此驚叫，那瘡雖然已死，仍然面目恐怖，作噬人狀。」

「是以手術割除出來的嗎？」

「啊，王小姐，這才是至可怕的部分，傳說患者不能借助任何人之手，必需親自持利刀剜割毒瘡，連根挖出，才有機會存活。」

王錦芳沉默，半晌，她輕輕說：「那該是多大的傷口！」

「碗大瘡疤。」

「有存活者嗎？」

「據說有。」

「事主需經受何等樣大的痛苦。」

「是。」

錦芳唏噓了，「那瘡，是專門挑弱者下手的吧。」

小郭太息，「不幸每個人都有弱點。」

「郭先生，你見識多廣，令人佩服，可是，今日，你約我來此，倒底有什麼事呢？」

「王小姐，你父母早逝，由監護人尤月清醫生撫養成人。」

「那是人所共知的事實。」

「尤女士非常關心你。」

錦芳抬起眼睛，「她是你的委託人？」

小郭答：「是。」

錦芳只覺不可思議，「尤姨怎麼會僱用私家偵探？」

小郭不語。錦芳問：「她要查探什麼？」

小郭看住她。錦芳大奇問：「我？」

小郭點點頭。

「我不相信，」錦芳站起來，「小郭先生，你越說越玄了。」

小郭此時拉開抽屜，取出一大疊照片與文件散佈桌上。

錦芳一看，呆住。

她一張一張翻看，臉色漸漸轉爲蒼白，到最後，又驚又怒，額角冒出汗珠，雙手顫抖。

小郭低聲說：「尤女士一直不放心你同簡子貴這浪蕩子來往，此人吃喝嫖賭，無所不至，專門寄生在有妝奩的女子身上，事後毆打勒索，令事主求生不得求死不能。」

錦芳緊緊握着拳頭。

「口說無憑，此刻提供的證據，只是他劣跡其中一斑，尤女士萬分不得已才侵犯你的隱私，她請你原諒。」

半晌，王錦芳說：「尤姨於我恩重如山，情同母女，她言重了。」

這個時候，小郭的聲音忽然轉得十分柔和，「王小姐，人面瘡患者不能借任何人之力，必需親自忍痛將瘡自腰間連根剜出。」

王錦芳不語。

「只有你能夠救你自己。」

王錦芳低聲說：「我明白，郭先生。」

她深深吸一口氣，拉開門，離開郭氏偵探社。

笑臉

宇宙貿易公司雖然只是一間中型機構，人事傾軋也已經很厲害，張美宜年紀輕，經驗淺，自然看到許多不順眼之處，不過聰明的她迅速學會了幾道明哲保身的要竅，像事不關己，己不勞心，一問搖頭三不知之類，故此與同事相安無事。

最重要可能是她家境富裕，重視工作，可是不緊張薪水，所以得到一點額外尊重，越是這樣，上司越是先升她，因爲都覺得張美宜沒有壓迫力，性情可愛。

當然不是每個人都像美宜那麼幸運，討人喜歡，與她同時進宇宙的古家梅就遭遇相反。

古家梅是個很奇的例子，進公司時與美宜同級，但是年紀大了一大截，衣著樸素，沉默寡言，甚受冷落。

中午吃飯從來不出去，獨自坐在辦公室吃三文治，美宜喚她：「來，出去走走」，她總是婉拒。

叫過幾次，同事已經不耐煩，漸漸不予理睬。

美宜夠豪爽，時時請客，日本菜、法國酒，有事沒事，買了大盒巧克力蛋糕整間公司傳遍，古家梅剛相反，那麼久了，從未有任何表示。

美宜覺得這是個人習慣，無可厚非，但是其他同事都不喜歡古家梅。她拒人千里，人也拒她千里，距離越來越遠。

只有美宜，無所謂，絕對不怕冷面孔，因勸古家梅：「同事朝晚見面，感情融洽點好辦事，你說是不是。」

古家梅不語，隔一會兒才說：「美宜，我見你是眞正以誠待人，才多講幾句，實不相瞞，我家中有久病的母親需要服侍，抽不出時間同你們一起玩耍，薪水大部分需要付房租，沒有能力負擔娛樂費用。」

美宜聽了，爲之惻然。

若不是工作態度認眞，相信公司早已請走古家梅。

饒是如此，美宜連升兩次，還未輪到古家梅。

那樣委屈，換了是美宜，早就到別的地方去做，可是古家梅仍然緊守崗位。

五月她放了兩個星期長假，說也奇怪，回來的時候，整個人變了。從那個時候開始，古家梅臉上老是掛着一個笑容，無論什麼時候叫她，她一抬起頭來，總是在笑。

只有美宜一人覺得蹊蹺，那笑臉有點生硬，有點勉強，完全不屬於古家梅，好似一層過厚的粉，浮在臉上。

可是其他同事不覺不妥，認爲古家梅終於妥協，樂意親近同事。

美宜心裏難過，本來她很佩服古家梅那獨行獨斷，不理他人的脾性，沒想到寡不敵衆，最終也不得不成日虛僞地笑。

一日上司爲小事大發雷霆，他們那組人人吃不了罵，臉色孤寡，只有古家梅還能——邊微笑——邊答「是，是」，美宜覺得毛骨悚然。

可是上司大爲讚賞：「古家梅，只有你一人無異議，這個計劃，就由

你來辦吧。」

三個月後，古家梅也升了級。

美宜悄悄問她：「你幹嗎老是笑？」

古家梅笑答：「江湖上有句老話，叫伸手不打笑面人。」

「已經升級了，不用笑得那麼頻頻。」

「不妨不妨，多笑多升。」

生活能把一沉默寡言的人逼成這樣，眞是厲害，美宜無話可說。

只見古家梅逮住機會，笑着跟在上司身後進進出出，儼然成爲半個紅人，衆同事恐她會竄出來，對她也不敢像起先那麼冷落，漸漸與她有說有笑。

只有美宜一人始終覺得那笑臉突兀，難看。

她倒是反而與古家梅疏遠了。

唯一不變的，是古家梅對工作認眞的態度，上班，她比別人早到，下

班，比別人晚走。

終於捱出病來。

三天不見古家梅上班，美宜到處打聽。

人事部告訴美宜：「她進了醫院。」

美宜甚爲關注，「什麼病？」

「肺炎。」

美宜立刻決定去探訪她，想組織同事一起探病，大家卻推辭，「我們同她不熟」是最多人用的藉口。

美宜無奈，只得買了水果一人成行。

那日天氣甚差，下大雨，叫不到計程車，公立醫院又不便停車，幸虧美宜身邊有的是觀音兵，一於託人接送。

古家梅在二樓大房間休養，美宜找到病床，悄悄坐下，古家梅背着她睡，美宜耐心等她醒來。

半晌，她稍微蠕動一下。

「家梅、家梅。」

古家梅轉過身子，睜開雙眼，「美宜，你來了。」

「我斟杯水給你。」

「謝謝。」她掙扎着起來喝水。

美宜心中難過，「你沒事吧，幾時出院，這些日子，誰代你照顧伯母？」

「多謝你關心，有一好的鄰居看顧家母，醫生說我一兩日即可出院。」

幽暗的光線下，美宜這才看清古家梅瘦削的臉，她雙眼深陷，面無神色，卻仍然在笑，那笑容異常詭秘，使美宜打一冷顫。

美宜握住她的手，「家梅，這裏只得我同你，你也累了，何必還要笑？可以停一停了。」

古家梅——笑容不減，「你以爲我在笑？」

美宜一怔，不是嗎，雖然這笑比哭還難看。

「美宜，我知道只有你一個人眞心對我好，我坦白對你說了吧，這不是我在笑。」

「不是笑是什麼！」美宜嚇得站起來。

「五月份，我放了兩個星期假，記得嗎？」

「是呀。」這又有什麼關係？

古家梅歎口氣，「我到矯型醫生處，做了這個笑容。」

「嗄？」

「把臉部肌肉稍作修改，將嘴角往上拉，做了這個討人喜歡的假笑臉，美宜，這是一隻面具呵，我要設法生存，我不能再失敗了，美宜，我終於升了級，記得嗎，伸手不打笑面人——」

勢利

李笑心回到家，看見母親正在招呼表姨陳氏，她只假笑數聲，即時轉入房中。

可是狹小公寓能有多大，兩位中年太太的對話還不是一一傳入耳中。

只聽得表姨問：「阿心畢了業在幹什麼？」

李太太只好從實招出：「在銀行做見習。」

表姨像是大吃一驚：「爲何不升學？」

「會考成績不大好。」

「報名重讀再考呀，四舅母的女兒樂珠去年考到兩個A亦決定重讀，結果以四A勝出，順利進入中大，有志者事竟成，花多一年時間也值得。」

李太太賠笑道：「讓她試試做事也好。」

表姨唔地一聲，不以爲然：「那種沒有前途的工作，有什麼好做，一年一年蹉跎下去，一下子老大。」

李太太只得唯唯答，那表姨又說了一些話，才告辭回去。

笑心開門出來，十分懊惱：「那長舌婦簡直沒完沒了。」

李太太說：「她講得也有道理。」

「什麼歪理！她純粹勢利，一天到晚講出身、講家世、講身份，眼睛長在額角頭。」

李太太看着女兒：「我覺得，呃，爲着將來，你不如回去重讀再考，這次用心一點，保管成績理想。」

笑心沒好氣：「你聽那婦人說長道短，條條大路通羅馬，我有朝一日一般揚眉吐氣。」

第二天，回到銀行，發覺諸級職員十分擾攘，嚴陣以待，原來總行派要員來巡視。

半晌，那欽差到了，笑心一看，發覺她是一妙齡女子，化妝明艷，衣飾亮麗，各人如衆星捧月似迎上去，她不到半小時就離去，可是留下許多

回響。

職員在茶水部議論紛紛。

「甄小姐眞漂亮。」

「人家還是哈佛的管理科碩士呢，法語說得與英文一樣標準。」

「幹勁沖天，三年升了兩級。」

然後，正眼也不看笑心一眼，笑着推門出去。

笑心冷笑一聲，勢利！

忽爾聽得身後有人講出她的心聲：「勢利！」

誰！這是誰？

轉頭看去，才發覺是信差阿高。

阿高在銀行做了有五六年，年紀不大，可是牢騷極多，笑心平時不大與他交談，怕他嚕囌。

她有一大疊文件需要影印，於是朝阿高點點頭，轉身離去。

此時聽得阿高自齒縫中再度迸出「勢利」兩字。

笑心一怔，這可是在說她？不不，她才不是勢利的人，她李笑心也是勢利風氣的受害者，可是她不敢同阿高分辯，給同事看到她同他攀談，萬一誤會他們有何特殊關係，那可麻煩了，阿高絕對是個不受歡迎人物。

發了有限薪水，笑心下了班去逛街，這是整個月最高興的一天，她可以隨心所欲置一些喜愛的東西，像一條名牌子牛仔褲，或是一隻好看的手袋。

她推門進店，可是站了半晌，店員只是忙着招呼日本遊客，並不急於招呼穿白襯衫藍布褲的她。

笑心僵了廿分鐘，突感氣餒，靜靜離去。

勢利！

忽然掩住嘴，這口氣同阿高何其相似。

不不不，她不要像阿高。

李笑心似受了驚，匆匆返回家中。

一進門，看見父親坐在飯桌前托着頭對着一疊文件塡寫，這本是晚餐時分，笑心忍不住問母親：「好吃飯沒，肚子餓了。」

李太太噓一聲，「且慢，你爸正頭痛呢？」

「他在幹什麼？」

「他在塡移民表格。」

笑心倒是歡喜，「我們可是要移民？」

李太太歎口氣，搖搖頭，「十劃還無一撇，在愛蒙頓的二叔，雖然願意擔保我們，可是分數仍然不夠。」

「怎麼算分？」

「那要問你父親了，好像職業自零分至十分，大學學歷又可算分數，英法語流利又佔優勢，當然，講到底，投資移民最快，金額越高，越獲優先處理。」

笑心愣在那裏作不得聲。

只聽得父親抬起頭來苦笑，「眞勢利，無論是申請居英權，或是移民任何一個國家包括新加坡澳洲加拿大，都同申請人斤斤計較身家學識，少一點都不及格摒出局！」

笑心連忙問：「我們欠什麼分？」

「他們不需要教書先生，職業上已吃光蛋，我年紀已過五十，老大無力，只怕要倒扣十分。」

李笑心氣得叫出來：「勢利！」

李先生是樂觀派，不怒反笑：「不要緊，總有地方需要我這樣的蟻民吧。」

笑心不再說話，她也滿懷心事。

李先生低着頭繼續塡寫表格，頭髮已經斑白，多年來坐着改卷子，背脊也有點佝僂，笑心看在眼中，不禁惻然。

李太太叫女兒：「我給你做了一碗麵。」

笑心坐在廚房小櫈子上吃麵。

她母親歎口氣：「你表哥吳作鑫醫科畢業了，已在政府醫院實習，大伯伯下週末請客吃飯，叫我們早點去，都不知該送何等樣的禮。」

笑心擠出一個笑話：「大家扮病人出現一定最受歡迎。」

「姑媽說大家夾份子買隻金錶最好。」

笑心終於忍不住厭惡地說：「他醫科畢業關我們什麼事，要我們花冤枉錢。」

李太太不語，隔一會兒反問女兒：「倒底這世界是人先勢利呢，還是社會先勢利？」

笑心低首沉吟，她第一次考慮返校重讀會考班。

李太太又問：「我們是該順着這勢利風變本加厲精益求精呢，抑或背道而馳孤立自己？」可是，她的聲音已經輕不可聞。

請按

事情不知道是從幾時開始的，江世平有一日打電話到航空公司詢問父母乘搭的飛機何時由溫哥華抵港，就聽到了以下的訊息。

「多謝你致電華東航空公司，假如你想知道今日班機抵港時間，請按四三〇，假如你想知道班機離境號碼，請按七四〇，假如你想訂票，請按九九三，假如你想與職員談話，請按二二八……」

世平用的正是按鈕號碼，她把這個錄音訊息聽到一半已經忘記抵港班機時間該按什麼號碼，只得重聽一次，才按四三〇，她聽到錄音帶說：「自溫哥華抵港第八三八班機抵港時間為十三〇〇，自多倫多——」

世平掛斷電話，真好，以後人與人不必再打交道，只需佈置一架機器，省卻人工，既方便又實惠，反正答案是固定的，錯不了。

過一陣子，這種作風漸漸流行。

世平訂閱的一本雜誌沒收到，故撥電追究，電話接通，也是錄音帶聲音：「這是宇宙雜誌社，如果你找的是發行部，請按二二三，如果找編輯

部，請按二二五，如果找訂閱部，請按二二六——」

世平按二二六。

「請將你的電話號碼及訊息留下，我們會盡快覆你。」

世平連忙說：「我的電話是一三四四八，我沒收到九月份的宇宙雜誌，請補寄。」

當日下午，宇宙雜誌由專人送上。

同許多人相反，世平不介意與機器說話，她是一個辦事的人，很多時候不動感情，也談不上喜惡，只要可迅速達到目的，一切細節都不計較。

與錄音機談話簡單扼要，省卻寒暄問候，口不對心的虛偽。

近日幾乎每間公司都設有這種服務，特別是在週末或是公眾假期，當值的通常是機器。

世平沒想到私人住宅電話也會這樣趣致。

完全是偶然，世平撥電給好友丘珠英，可是一時錯手，按錯一個號

碼，她聽到錄音機說：「這是五五五七三——」

珠英的號碼是五五五七六，世平剛想掛斷，忽然聽得錄音機說：「假如你找余仁邦，請按一，假如你找余仁傑，請按二，假如你打錯號碼，請按三。」

世平笑出來，太幽默了，她儘管試試，按下三字。

錄音機裏的男聲愉快地說：「其實心理學家說，打錯電話是因爲心急想與同伴交通，可見你是一個寂寞的人，如果我說對了，請按四，我說錯的話，請按五。」

世平訝異，這余家兩兄弟好不趣怪，竟想出這種遊戲來。

她按五，「啊，你不寂寞？好極了，那是信心的表現，恰才問題涉及私隱，你仍肯作答，可見你活潑大方……」

世平聽到這裏，忽覺突兀，掛斷電話。

眞的，陌生人的電話錄音問她是否寂寞，她居然作答，太輕率了。

她終於找到了丘珠英，但是珠英不在家，只得到「請留下電話號碼與口訊，我會盡快覆你」標準答案。

傍晚覆電來了，世平的電話設有示蹤器，那意思是，電話鈴一響一個小小熒光屏會顯示來電者何人，以及他的電話號碼，那麼，世平可以選擇聽與不聽。

世平覺得單身女子需要這樣的設備。

見是珠英，便取起聽筒，與她談了幾句。

珠英說：「生活沉悶極了，對前途十分徬徨，渴望愛人與被愛。」

又道：「昨夜做夢，有急事，在馬路邊用公衆電話，三四具電話不是打不通就是無人接，驚惶極了，終於徒步跑回家，有人忽然拉住我，說願意幫我忙，我感激流涕。」

世平問：「那人是你男友區和平嗎？」

「不，他哪裏有作爲，夢中救我的是陌生人。」

「珠英，你還是與區某分手吧，夢境已說明一切。」

珠英長長歎一口氣，「唉，談何容易，我最怕寂寞。」

世平心一動。

你是一個寂寞的人嗎，如果我說對了，請按四。

對方也可能有追蹤器，早已記錄了她的電話號碼及登記電話的姓名。

她固然知道他們是余氏兄弟，他們也許亦知道她叫江世平。

「世平，世平，你還在那一頭嗎？」珠英直叫她。

「在，在，」世平如夢初醒，「最近精神不大好。」

「不是疲倦，我們都給枯燥的生活害得奄奄一息。」

世平同意，她掛了電話。

她獨自在客廳坐了一會兒，忽然身不由主，重撥五五五七三。

電話錄音並沒有從頭開始，錄音這樣說：「你是江世平小姐吧，歡迎你致電余宅，假如你想多聊幾句，請按六，如果只是好奇，請按七。」

世平按六。「你想談何種題材？假如要講中東局勢，請按八，美國股票走勢，請按九，人類感情問題，請按十——」

世平按十。「很好很好，有關父母與子女問題，請按十一，有關男女感情，請按十二——」

世平按十二。「啊，我們開始談到私人問題了，如果你覺得過份，請按十三，如不，請按十四。」

世平又鼓起勇氣按十四。「如果你想擺脫一段感情，請按十五，如果你渴望愛人與被愛，請按十六。」

世平迷惑了，這余氏兄弟倒底是什麼人？他們竟設計了如此精密的錄音設備，世平忍不住按下十六號。

「假如你目前已有愛人，請按十七，無，則按十八。」

世平按十八，因是通過電話與錄音機器談話，世平不覺得危險，唏，有什麼事，最多更換電話號碼好了，此刻她真需要有人陪她聊聊。

「如果你願意約會我余仁邦，請按十九，如果你選擇我弟弟余仁傑，請按二十，如果你不願與任何一人見面，請按二十一。」

世平笑了，她輕輕按十九。

玫瑰

母親知道了一定要罵的。

袁少媚終於在凌晨三時偷偷爬起床，離開旅舍，開機器腳踏車去到泰姬陵。

那是一個滿月之夜，太陰星似銀盤般懸掛在寶藍夜空上，雪白的泰姬陵靜寂、美麗、莊嚴，哀愁。

少媚陶醉在此良辰美景當中，不能自已，難怪導遊要說，泰姬陵要看兩次，一次在白天，一次在晚上。

她對此古跡有出奇好感——七歲時翻閱兒童樂園已認識它的故事，一直有心願要親自來見它，今天才如願以償。

夏夜，涼風習習——喧嘩的遊人與小販都睡覺去了，少媚坐在大理石池欄畔，用手抱着膝頭，心底無限滿足。

忽然之間，她聽到輕微的腳步聲。

她警惕地抬起頭來，看到一位老先生向她緩緩走來，她說他老，是因

爲他有一頭銀絲似白髮，可是梳理得十分整齊。

那位先生在她不遠處站住，看樣子，他好像也是趁月夜來看泰姬陵。

他見到少媚，比少媚見到他還要意外。

少媚站起來，發覺老先生震盪地凝視她。

他衣著考究，看得出年輕時一定十分英俊，至今約接近七十了，仍然有一股軒昂氣質。

他踏近一步，「你……也來了。」聲音有點顫抖。

少媚一聽，就知道他認錯了人，朝他笑笑，「眞難得，大家都有興致半夜出遊。」

老先生一愕，臉上迷茫的神色漸漸褪去，接上一個微笑，「我糊塗了，如果你是她，怕也早已滿頭白髮。」

少媚惻然，他在等待故人？

在這樣的月色下，沒有什麼是不可能的，倘若時空可以兜亂，他或許

可以見到少女時期的她。

老先生低頭說：「她同你一樣有精緻的小圓臉。」

「你的女朋友？」

「不，萍水相逢，那一年，我二十二歲，留學倫敦。」

嘩，半個世紀以前的事。

「大戰快要爆發，家人召我返家，途中來到印度，嚮往月夜的泰姬陵，千方百計向英國朋友借了車子，前來此地。」

少媚微笑，他邂逅了她。

「在你站的同一位置，我看到了她。」

「她也是華人嗎？」

五十年前，年輕女子夜半單獨出遊，眞是聞所未聞。

「看仔細了，發覺她是歐亞混血兒。」

「她一定長得很美。」

「是，在月色底下，清麗一如仙子。」

少媚覺得老先生感情豐富，在今日，男生可不會這樣珍惜女生，少媚從未聽過她那些異性朋友把她尊稱爲仙女。

老先生說下去：「我倆攀談起來，她的聲音低沉迷人，有股難以形容的魅力。」

少媚說：「讓我猜，你們後來——」

「沒有後來，」老先生打斷少媚的猜測，「我們只見過那一次。」

「什麼，你沒有問她拿電話地址？」

老先生苦笑，「我多希望彼時有傳眞機與國際直撥長途電話。」

怪不得蕩氣迴腸，原來從此失去聯絡。

老先生說：「我們談到了愛與恨，戰爭與和平。」

少媚訝異，「沒有提到泰姬陵嗎？」

「有，我認爲建築泰姬陵的動力是愛情。」

「正確。」

「她認爲眞正的愛必須廣泛施予，一個君主的首要責任是愛民若子，不應自私奴役人民費時耗力數十載爲一妃子建造陵墓。」

「呵，」少媚更爲詫異，「她竟有這樣胸襟。」

「當時我亦十分驚奇，畢竟，在那個年頭，一般女子甚少理會家庭以外的事。」

少媚起了疑心，「她是誰？」

老先生微笑，「你很聰明，你已猜到她一定是個人物。」

少媚問：「你不願意說出她的名字？」

「她並沒有把姓名告訴我。」

啊，更加神秘了。

「我們談到即將爆發的太平洋戰爭，她告訴我，她喜愛和平，她對戰爭厭惡之情畢露。」

少媚立即問：「她是哪一個國家的人？」

老先生不語。

「她可是日本人？」

老先生低下頭。

「怪不得你不去問她姓名地址！」

老先生頷首，「是，那時日本對中國的侵略野心已經表露無遺，我們是敵人。」

「既是日本人，有何資格談到和平。」

「可是我卻深信她的哀傷是眞實的，她毋需騙我。」

「不予置評，我對這民族有極大的偏見。」

老先生欷歔，「天色漸亮，我們必需話別。」

是的，天色已露魚肚白。

少媚終於歎口氣，「你們有點難捨難分吧。」

「是，我們各有任務，她需返回東京受訓。」

少媚揚起一角眉毛，「這個少女，倒底扮演什麼角色？」

「她說，日後，我或許會聽到她的名字。」老先生惆悵無比。

少媚有點不耐煩，她從來對日本人無好感，「她不是沒有名嗎？」

「她說她有個代號。」

「那又是什麼？」

「東京玫瑰。」

少媚怔住，她雖年輕，也聽過這個代號，二次大戰期間，東京玫瑰不住以流利英語作無線電廣播，勸盟軍投降，盟軍視她爲頭號間諜。

老先生這時說：「這位小姐，很高興認識你。」他轉身離去。

少媚忍不住揚聲，「嗳，嗳，慢走，請問你又是誰？」

知己

SEPTEMBER
1 2 3 4 5 6 7 8
9 10 11 12 13 14 15
16 17 18 19 20 21 22
23 24 25 26 27 28
29 30 31

周日新搬進舊屋那一日，眞是旣失意又失望，旣失業復失戀。他垂頭喪氣，帶着兩件簡單的行李就走進好友吳振智家的祖屋。

那間古老大屋在山頂某處，即將拆卸另建豪宅，一切設施仍然完整，故吳振智在長途電話中同日新說：「你且去住三個月，說不定百日之內會有新發展。」

權且也只得這樣，日新已付不出房租，小生意失敗之後，親友面孔日漸孤寡，至令他傷心的是，女友談彩雲又離他而去。

他實在需要靜一靜，也好韜光養晦。

用鎖匙開了門，推門進去，剛好看到一絲金黃色夕陽自露台射進客堂的木板地，非常寧靜晶瑩，日新馬上喜歡這個地方。

大宅裏共五間房間，只有一間有簡單傢具，其餘已經搬空，走路有回音，日新便選了這間走廊底的臥室，一床一几一書桌，牆上掛着一份月曆，日新趨近去看，只見月曆上注着雜貨店電話以及圈着某人生日，一看

年份，已是廿多年前的月曆了，不知怎地，一直沒除下來。

月份牌七彩部分畫着一個梳辮子的少女手持團扇看着一彎新月正在微笑。

日新歎一口氣，躺在小小鐵床上，計劃下一步該怎麼做。

第一，是要找工作，他稍事休息，即到附近報攤買了西報上樓，做了一杯咖啡，坐下用紅筆圈住有可能性的聘人廣告。

忙得累了，去洗把臉，回來的時候，看到走廊底的大門半開啓，有人探進半張臉，用清脆的聲音問：「周日新在嗎？我是你鄰居辛月兒。」

日新大奇，這上下還有誰記得他？他走近答：「我就是，誰叫你來，是振智嗎，既然有門匙，想必是熟人，請進。」

女郎走進來，體態輕盈，有一雙閃爍的大眼，穿白衣白裙，那笑聲使人忘憂：「別焦慮，別擔心，凡百從頭起，天無絕人之路。」

日新的煩惱，她好像統統知道，其實不過是幾句很普通的安慰話，可

是聽在日新耳中，卻無比受用。

她坐下來，翻閱報紙，指着一欄說：「這份工作你忘了圈起來，你應該可以勝任。」

「哪裏，呵對，證券業是我老本行。」

女郎笑，「刮個鬍鬚，換上西裝，又是一條好漢，嗄？」

她神情嬌俏，姿態輕鬆，很快感染了日新，認爲世上沒有什麼大不了事情，跌倒大可以再次爬起嘛。

她找到一部小小手提打字機，熟練地上好白紙，替日新打求職信。

日新已經把履歷整理出來，附在信上，打算明日送出。

女郎很精明地說：「代收信的是一間獵頭公司，你一定會得到他們的賞識。」

日新笑了，她竟把事情看得那麼容易，不過也很難講，一個人走起運來，的確事事如意，路路暢通，得心應手。

這時電話鈴響了，日新跑去聽，是吳振智自溫哥華打來，也只有他還記得周日新。

他一開口就說：「日新，《華星西報》上有一份工作你可暫時屈就。」

「是，我知道，宇宙公司代聘證券業人士。」

「試一試如何？」

日新笑，「得了得了，你不是已派了代表前來照顧我嗎？」

吳振智反問：「什麼代表？」

日新抬起頭，聽到輕輕關門聲，女郎分明已經離去，日新怕好友怪他窮心未盡，色心又起，故只是答：「患難見眞情，反正我感激不盡。」

掛上電話追出去，已經芳踪杳杳。

那天晚上是他多月以來睡得最好的一次。

第二天在銀行區跑了一整天，回來已是傍晚，在大門口，看到一個人影，他面有喜色，邊脫外套邊問：「是你嗎？」

那人轉出來，「是我。」

日新一怔，沒想到是舊女友談彩雲，半晌才問：「有什麼事？」

彩雲脫口而出：「你怎麼潦倒至這種地步？」

日新不知如何回答。

彩雲說：「我可以幫你忙嗎？」她輕輕遞上一張支票。

日新輕輕把她的手推開，「不敢勞駕你，你請回吧。」

彩雲卻硬把支票塞進他口袋，「這是我昔日欠你的數目。」然後，她輕輕離去。

日新愣愣站在門口，彩雲莫非有意重修舊好？

忽然聽見背後有銀鈴似聲音：「好得很好得很，日新你終於轉運了。」

日新重展笑臉，「是，我得到了那份工作。」

「那多好，」辛月兒走出來，拍着手笑，「月底你就可以搬出去重整

旗鼓，揚眉吐氣。」

這可愛的小鄰居真是周日新的患難知己。

她隨即黯然，「不過，你一走，我們再也不是鄰居了。」

日新伸手拉拉她的辮子，「我可以來探訪你。」

看着那一雙長辮子，日新心一動。

女郎轉過頭來，「你在想什麼？」

日新用鎖匙啓門入屋，一邊說：「現在很少有女孩子梳辮子了。」

女郎亦笑說：「我也一早想改個髮型。」

她轉身進廚房，出來的時候，一手拿剪刀，一手拿着雙辮，已經把頭髮剪短，行事好不磊落。

她笑着坐下來，「日新，工作找到了，女朋友又回心轉意，恭喜你。」

日新由衷道：「謝謝你與振智的鼓勵。」

月兒拍拍他的手臂，「我要走了。」

「幾時再來？」

「有緣自然再會相見。」

她笑着開門自行離去。

日新比較粗心，他的目光始終沒有再落到掛在房中的月曆上，那畫上的月份牌美女仍然看着新月微笑，可是雙辮已經絞短，改了髮式。

知慧

年輕貌美的王碧芝在家裏看科幻小說。

其中一個短篇深深吸引了她，不，這不是一個科學家遇到外太空美女的故事。

小說的主角是一個十歲大的小男孩。

他生在二〇七八年，天性聰穎，性格可愛，是一名獨子，父母異常鍾愛他。

可是不知怎地，父母老是憂心忡忡，愁容滿面。

「孩子就快要去考升中試了。」母親擔心得似乎要落下淚來。

父親安慰說：「不要怕，他會順利過關的。」

「可是他自幼異於常兒。」

看到這裏，碧芝掩卷，站起來，去斟一杯果汁喝。

她一個人住在十分寬敞的豪華公寓內，客廳似一望無際，佈置主色是米白，明亮光潔，看上去使人精神愉快，擺設考究精緻，看得出下過一番

工夫。

王碧芝是富家女嗎？不不不，她父親只是一名中級退休公務員。

王碧芝已嫁入豪門？更不是，她迄今未婚。

那麼，她是否能幹的現代事業女性，赤手空拳，打出這個局面？

更不對了，她才廿一歲，根本不打算做事業。

王碧芝一邊喝果汁一邊窩進柔軟寬大的皮沙發，繼續讀小說。

她特別喜歡短篇，即使只有十多廿分鐘，也可以看完一篇，不耗時，不掛心。

那小男孩赴試場的日子終於到了。

他懂事地同母親說：「不要怕，媽媽，我會及格的。」

那母親忽然掩臉痛哭。

碧芝想，噫，這是一場什麼樣的考試？考不上又怎麼樣？她本人中學會考成績就相當普通，可是，她並不十分在乎，考試是一回事，到社會做

人又完全是另外一回事。

父親把小男孩送進試場，分手前與之再三擁抱。

男孩先接受醫生檢查，然後在電腦前坐下來接受測試。

剛看到緊張關頭，家務助理出來說：「王小姐，我下班了。」

碧芝抬起頭，「明天見。」

家務助理輕輕離去。

碧芝只用着一個鐘點女工，她不希望生活受到太多打擾。

天色漸暗，碧芝去開燈，露台外是著名維多利亞海港的夜色，璀燦迷人，屋內，碧芝在柔和光線掩映下，宛如一幅畫家精心繪成的美女讀書圖。

小男孩的父母回到家中，坐立不安地等考試局通知。

行與不行，迫在眉睫。

他們覺得一顆心彷彿要自喉嚨間躍出，終於，電話鈴響了。

眞湊巧，現實世界的電話鈴也響起來。

碧芝去接聽。

對方並無稱呼，只是笑問：「在幹什麼？」

碧芝當然知道這是誰，亦嬌俏地笑答：「在看時裝雜誌挑選衣物。」

對方說：「看到喜歡的，告訴我秘書依蓮，她會替你電傳訂購。」

「知道了。」

「我二十分鐘後到。」

「今天不出去？」

「說好在家談天。」

「知道了。」

一掛下電話，碧芝就捧起小說看結尾。

——電話鈴終於響了。

那父親連忙去接聽。

「我們是考試局。」

小男孩的父母汗如雨下。

「令郎考試成績優異，超乎社會需要，不幸政府的策略是消除任何不適用人才，故此，我們已用適當手法處置令郎，請節哀順變。」

那對父母號咷痛哭，電話摔到地上，故事結束。

小說這個突兀的結尾令碧芝意外與震驚。

她站起來，走進臥室，把小說放到抽屜底部，然後打開衣櫃，挑選衣物。

她選了一套緊身紅色裙子換上，把頭髮梳鬆，在唇上塗好鮮紅的胭脂，噴一陣香氛，滴了眼藥水，好使雙眸看上去閃爍一點。

準備妥當，她回到客廳取出一隻小盒子，打開，把裏邊的東西倒出來，原來是一套麻將牌。

她坐下來等。

可是剛才那篇科幻小說的結尾令她惻然，一般人總以爲人不能生存是因爲笨，不不不，世界那麼大，總養得活幾個笨人。太聰明的人才有危機，尤其是聰明得鋒芒畢露，不知在何時收斂的那些人。

這是該篇小說的寓意吧，社會其實裝不下那麼多聰明人。

門鈴響了，碧芝臉上立刻換了一副清甜的笑容，小鳥似飛過去開門。

門外是一位英偉的中年人，王碧芝此刻的男朋友朱偉言，著名地產商人。

他一邊脫外套一邊問：「怎麼一桌子的麻將牌，不是約了人組局吧。」

碧芝笑道：「我只是把牌取出看看，謝謝你替我訂製這副麻將，寶蘭、淑媛她們不知多喜歡，又輕又小，打起來舒服極了，又是我深愛的淺紫色，呵對，我替你斟杯拔蘭地。」

朱偉言呵呵地笑起來，「明天你到劉律師處簽個字，這幢公寓就歸你了。」

碧芝聞言拍手，「太好太好。」

假如她知道我們在看她的故事，她會朝我們映眼。

王碧芝會說：「聰明人的世界裏沒有逸樂，我不要做聰明人。」

故事

門鈴一響，四歲大的囡囡先放下積木說：「媽媽，人客，媽媽，人客。」

岑菊君自書房出來探視，自大門兩旁玻璃中看見來人是位穿深色西裝的年輕男子。

她打開大門，「請問找誰？」

年輕人欠一欠身答：「作家岑菊君女士。」

菊君笑，「不敢當，我的確寫過幾本書，你是哪一位？」

年輕人英俊有禮，菊君對他頗有好感。

這時他客氣地問：「我可以進來坐下才講嗎？」

菊君想一想：「請進。」

年輕人像是十分感激，但是他始終沒有說出他的姓名。

家務助理斟一杯清茶給客人，然後帶囡囡到園子去玩。

年輕人看着窗外海連天的風景，忽然說：「溫哥華眞是好地方。」

岑菊君微笑，「可是，你不是來談風景的吧。」

年輕人臉一紅，連忙自公文袋中取出一張名片，恭敬地雙手遞上，「岑女士，我代表這位夫人。」

菊君嘴角一直掛着笑意，她接過名片，低頭一看，當場呆住。

她的微笑僵在嘴角，只見名片上用娟秀的瘦金體寫着四個字，第一個是那夫人的夫姓，第二個字是她本姓，然後是她的名字，這四個字，華裔無人不知，無人不曉。

菊君一時不知作如何反應，客廳中一片靜寂，她忽然也說起風土人情來。

她輕輕道：「溫哥華這個地方呢，最適宜過半退休生活，居住環境真是沒話講。」

年輕人卻說：「名片上四個字，是夫人親筆所書。」

是，菊君聽說過，夫人字臨瘦金體，畫臨石濤。

年輕人有一把堅毅動聽的聲音，找他做代表的確是上佳人選。

岑菊君終於忍不住問：「爲何找我？」

年輕人像是一早算定必有此問，不徐不疾回答：「因爲岑女士是小說作家。」

菊君搖搖頭，「夫人找一個說故事的人作甚？」

年輕人抬起頭來，一雙眼睛炯炯有神看着岑菊君，「因爲夫人有故事想說。」

菊君大爲震驚，她身不由主站了起來，險些打翻面前茶杯。

年輕人似預期有這種反應，沉默不語，待對方恢復鎭定。

菊君心裏想：這位夫人的故事！那可是與中國近代史有着極大的，不可分割的關係，她的故事一旦揭曉，一切歷史上謎語可迎刃而解。

岑菊君張大了嘴，自知十分失態，也顧不得了，這件事太令她震盪。

年輕人繼續說下去：「夫人願意把故事告訴你，由你執筆，她少年時

的生活逸事，她與姐妹的感情生活，以及稍後，牽涉到政治的一切來龍去脈。」

岑菊君看着年輕人，「我所有的，不過是一支禿筆。」

年輕人笑了，「見仁見智，岑女士不必太謙。」

「你們應當去找C先生或是N君。」

年輕人答：「夫人認爲，一個女子的故事，由一個女子來寫，比較適合。」

「啊。」

「岑女士，夫人已屆九六高齡，她覺得，這是她說話的時候了，你願意聽聽我們的條件嗎？」

「請說。」

「出版社早已聯絡妥當，該書將同時用中英文出版，稍後才研究是否需要譯成其他文字。這是付給岑女士的第一筆潤筆，請過目。」

年輕人取出一張銀行本票，菊君一看，只覺是天文數字。

年輕人低聲說：「這個故事，一定會叫作者名揚國際。」

他所說的，都是眞的。

「夫人願意招待岑女士在紐約住上一年，先把故事大綱整理出來。」

一年實在是很合理的時間。

「該段時間內，岑女士就不可以做任何其他工作了。」

岑菊君輕聲說：「也不方便常常見家人吧。」

「週末是假期。」

岑菊君忽然微笑，寫了那麼久，不是一直盼望揚眉吐氣，名成利就嗎，現在機會終於來了。

「夫人估計寫作時間恐怕不少於兩年，岑女士，你願意與我們訂一張爲期三年的合約嗎？」

菊君幾乎可以聽見一個自己同另外一個自己說：喂，你還在等什麼，

還不飛身撲上？這大概是本世紀最動人最有閱讀價值的故事，每個寫作人夢寐以求的題材。

可是，她卻遲疑着不開口。

年輕人的神情開始有點迫切，英俊的臉上開始冒汗。

這時，囡囡推門而入「媽媽。」她走近，把自園子摘來的一小束紫色毋忘我奉獻給母親，「媽媽，花。」

岑菊君擁抱小女兒片刻，然後平和地笑了。

在該剎那，她心中下了決定。

她同年輕人說：「小船不可重載，夫人看錯了人，在下並不懂得寫那樣沉重的故事。」

年輕人愕然，像是不相信有人會推辭這樣千載難逢的機會。

岑菊君的聲音雖低但清晰，「我不會離開家庭，我想每一天都看着女兒，請告訴夫人，我感激她的盛情，寫她的故事，是任何寫作人至高榮

譽。」

年輕人大惑不解，「可是，你拒絕了。」

岑菊君神清氣朗，「因爲我並不想比目前更出名，也不想比現在賺更多稿費，還有，更不想知得比此刻更多。」

上述三者，都有礙養生，而且，同生活快樂與否，一點關係也無。

岑菊君笑着站起來送客。

野味

王立威喜歡吃，未到四十就吃得紅光滿面，腹大如鼓，他身形高大健碩，聲若洪鐘，談起食經來，十分興奮，連半禿的頭頂都會閃閃生光。

那麼講究食物的他，不知怎地，賣相卻比年紀老，於是近幾年來，更加努力鑽研進補之術。

開頭還只是鮑參翅肚燕窩，後來越吃越刁鑽，他偏偏又有一班志同道合的朋友，索性組成一個團到處去吃。

當然是越落後的地方越有得吃，王立威與他那班懂得享受的朋友，打死也不去北美洲。

「要命，除卻凍雞同漢堡，什麼都沒有。」

不知是誰說：「北美幾個大城市的粵菜其實已經做得不錯。」

王立威嗤之以鼻，「不外是白汁龍蝦清蒸石班之類，肉粗而實，嚼半晌不得要領。」

那天晚上，王立威帶隊去吃活魚宴，由名師炮製，主菜是一條魚，尾

巴已在滾油中炮熟，魚頭卻仍在扭動，眼睛睜老大，瞪着它的食客。

一位女客放下筷子，走到外邊去呼吸新鮮空氣。

王立威不以爲然，說道：「背脊向天人所食，快來下筷。」

那次之後，本來跟着他到處跑着吃的十個八個損友人數漸減。

王立威絲毫不在乎，變本加厲爲吃而鑽營，紅燒果子狸、薑葱炆狗肉、清燉甲魚這些，只好算家常小菜。

一次，他領着小張與老林走進一條冷巷，說是有天下美味可嚐。

小張本來還興緻勃勃，走進巷子，剛巧看見廚師自鐵絲籠內抓出一隻猴子，那猴子四肢爲人所縛，動彈不得，可是臉上有表情，牠驚恐萬分地不住掙扎，一邊吱吱亂叫，金黃色長毛一直顫動。

小張大爲震盪，立刻離開食肆，只說想起有一件要事待辦，王立威喃喃道：「娘娘腔」，一轉頭，卻連老林也不見了。

「咄！豬牛肉魚蝦蟹你吃不吃，不一樣是殺生？」王立威大聲說：

「假慈悲！虛僞！」

他一個人坐下來大快朵頤。

稍後，又說要起程到更北的城鎮去吃驢肉，黃猄、熊掌。

這時，有人勸他：「科學鑑定過了，其實犀角、熊膽、鹿茸、虎鞭之類補品，效用有限。」

「那是吃不起的人所說的，同有人愛講金錢萬惡一樣。」

「你不怕膽固醇過高？」

王立威轟然大笑，「老兄，你天天吃青菜蘿蔔好了，有人替我找到一鉢禾蟲，我今晚吃酥炸禾花雀及雞蛋蒸禾蟲，哈哈哈哈哈，不妨礙環保原則吧，都是害蟲呢。」

冬季，王立威一個人出發到北部去吃野味進補，大大小小熊掌都嚐過，騷且腥，無論如何調味，都不好吃。

一日，他獨自蹓躂到橫街，聞說該條街上有不少個體戶開設的小食

肆，也許會有奇遇。

他看到一家小店，有幾個客人坐在簡陋的圓枱前吃麵，麵上有幾塊薄薄的肉當作料，卻香聞十里，把王立威吸引得垂涎欲滴。

他嘀咕着走進店堂，抬起頭，看見招牌上寫着盤絲二字，咦，好奇怪的店名。

接着，他的眼光落在掌櫃的身上，那是一個美麗妖嬈的女子，一見王立威，滿面笑容問：「客人想吃什麼？」

王立威伸手一指，「就這個麵好了，加多幾片肉。」

那女子笑得更濃，「你知道這是什麼肉？」

王立威神氣活現地回答：「至好是熊貓肉。」

那女子笑着拍拍手叫：「妹妹，把客人帶到廚房去看看。」

喂地一聲應，那侍應轉過頭來，她與掌櫃分明一個相貌，王立威可樂了，沒想到這個地方也會有美女，說不定食色兼收。

他個性本來就不甚穩重，此刻更顯着腳步，跟那個妹妹走進廚房。

出乎他意料之外的是，廚師也是個女子，年齡相仿，粗眉大眼，笑臉盈盈，王立威覺得那三姐妹彷彿天生有一股媚態，異常撩人，王立威不想走了。

他涎着臉問：「是什麼肉？」

那廚娘掀開身後一塊布，只見一隻小驢倒在地下，已經奄奄一息，不過仍可蠕動，兩邊腿上血肉模糊，那麵上的肉，原來自該處片下，現切現燙。

「好，」王立威豎起大拇指，「夠新鮮。」

掌櫃的紅粉掩着嘴笑，「他不怕，他夠資格。」

王立威笑嘻嘻轉過頭來，「可是夠資格做女婿？」

女侍應欠欠身，「請留下來便飯。」

王立威飄飄然，「好極好極。」

回到店堂，發覺客人已經散光，只剩中間一張圓枱，擺着三副碗筷，一大鍋鮮湯。

那湯不知用什麼熬出來，無比香甜，王立威坐下便喝了一大碗，三姐妹接着勸酒，吃得熱了，她們紛紛脫下外衣，露出鮮紅色綢內衫來，風情無比。

她們品評各種野味滋味，見解高超，分明是最佳食客，王立威興奮莫名，他想：可找到知己了。

半晌，那大姐忽然惆悵地說：「可惜始終走脫了天下美味。」

王立威心癢難搔，「那又是什麼？」

那三妹恨恨地答：「唐僧的肉。」

王立威酒意食慾及色慾忽然全丟到天腳底，「什麼，人肉？」

二妹沒精打采，「可不是，吃了長生不老呢。」

王立威聲音顫抖，「這一頓又吃什麼？」

大姐仍然笑咪咪，「吃野味。」

「何種野味？」

大姐笑得耳墜如打鞦韆，指着他說：「你。」

「我……」王立威魂飛魄散，「我不好吃，我不是唐僧。」

三妹大笑，「不怕不怕，歷年來你也進了不少補，我們吃你，即補上加補，再說，我們什麼都吃，豬八戒也不妨。」

命運

頭一次參加這種野餐會，覺得十分新奇，駕駛古董開篷車，穿白色衣服，帶着香檳魚子醬，來到郊外，搭起帳篷，在草地上談天休息，或是打一兩局羽毛球。

次數多了，感覺也不過如此，適齡的男女你看我，我看你，比較學歷家世才華與相貌……羅碧珊認爲場面有點虛僞。

表妹月卿說：「去吧，已是最後一個學期了，畢業後勢必不能像現在這樣開心了。」

碧珊不忍掃興，只得說：「看樣子會下雨呢。」

月卿說：「不，是個陰天只有好，我怕曬。」

一行十來人，五部車子，往郊外駛去，這次選的地點，叫白崖公園，一邊是大海，另一邊是樹林，環境幽靜，年輕人的笑語聲先是傳出去老遠，然後漸漸消失在藍天白雲之中。

碧珊穿白色長袖襯衫與打密褶長裙，長髮編一條辮子，遠看，像點彩

派畫家筆下遊花園的女郎。

但是她的心情殊不平靜，好不容易爭取到留學，沒想到光陰似箭，四年轉瞬間過去，除卻文憑，她一無所得，既沒拿到居留權，也沒找到理想對象，這次回去，如果不即刻尋到優差，怕要遭家人白眼。

喝過香檳，碧珊覺得有點悶，她看到一部腳踏車，一時興至，便推着它，到懸崖邊站一會兒，然後騎上車，來到小徑，抬頭一看，只見古木參天，不知名的小鳥啾啾鳴唱，她不由自主，將車踏進樹林裏去。

綠色天地包圍了她，她深深呼吸，剎那間忘卻所有憂慮，一路上欣賞奇花異卉，就在這個時候，天空變色，烏雲聚攏，碧珊抹去臉上第一滴雨水，說道：「我早說會下雨。」

豆大的雨點追着打下來，碧珊歎口氣，抬頭探望，看到遠處有一座亭子可以避雨，她連忙棄下腳踏車，一手撩起長裙，朝該方向奔去。

跑到亭子前，頭髮襯衫都已打濕，她聽見有笑語聲，故停住腳步，

噫，有人比她先到。

亭子四角掛滿紫藤，花香在雨中更爲濃鬱，碧珊看仔細了，坐在亭子裏，彷彿在下棋的，是兩名少女，年紀比她輕，一樣穿着白衣。

聽到腳步聲，少女們轉過頭來，碧珊一怔，她從沒見過如此晶瑩的面孔與那般可愛的笑容，她們立刻親切地向碧珊打招呼。

「姐姐，你也來了，請過來坐。」

碧珊獲得邀請，緩緩走過去。

少女又說：「姐姐且莫理我們，我們還有些許工作有待完成。」

碧珊點點頭，看到她倆面前攤着一本簿子，她們像在做塡字遊戲。

只聽得其中一個說：「這樣不好，我們宜再商量她的下場。」

「不，」另一個說：「姐姐已經在等了，趕快把此人命運結束，我們好玩耍去。」

「這樣吧，叫她三十歲結婚，四十歲與夫丈分開，生一場大病，救回

來，可是孤苦終老。」

「太枯燥了。」

「那麼，四十五歲再戀愛一次，給她添個女兒。」

碧珊在旁聽着，不禁駭笑，這是在說誰呀，脫口問道：「你們可是在編寫劇本？」

兩個美少女異口同聲答：「不。」

碧珊笑道：「那麼，一定是在擬小說大綱。」

少女們又答：「不，姐姐，我們在安排人的命運。」

碧珊的笑容在唇邊僵住。

「眞是苦差，來來去去只得三五七個變化，天使長老是怪我們沒盡力而爲，毫無新意，可是，唉，姐姐，你說，凡間女子又有何作爲呢。」

碧珊一顆心幾乎由口中躍出，可是表面十分鎭定，她輕輕說：「原來你們是安排人類命運的安琪兒。」

少女們拍起手來，「姐姐眞聰明。」

「今天，替誰安排運程？」

少女們翻閱簿册，「今天這個人，叫羅碧珊。」

碧珊差點昏厥過去，如此兒戲！兩個乳臭未乾的小女孩談笑間就決定她一生要遭受多少磨難？

她深深吸進一口氣，走得更近一點，輕輕坐下，若無其事地說：「也許，我可以幫忙。」

少女們高興極了，「姐姐，請說。」

碧珊側着頭想一想，「這樣吧，叫她事業一帆風順，婚姻美滿愉快，子女聽話懂事又會得讀書，還有，叫她活到耄耋，身體健康。」

少女搖搖頭，一本正經地說：「天使長說，人世間甚少有此美滿例子。」

碧珊不以爲然，「總有例外吧。」

少女們躊躇。

碧珊討價還價，「這樣吧，人們都妒忌她，好不好？」

少女用筆一一記下，「讓她離一次婚。」

碧珊加一句：「不過，後來又再找到更好的伴侶。」

少女又說：「她的小女兒比較不羈，令她一生不安心。」

碧珊鑑貌辨色，知道最好只能做到這樣，也只得知足，她捏着一把汗噤聲。

少女合上簿册，「今日的工作到此爲止，這位姐姐，謝謝你幫忙，對了，你屬於哪一個部門，怎麼會到我們這裏來？」

碧珊退後一步，結結巴巴答：「我，我……」

這時，遠處傳來喚人的聲音：「碧珊，羅碧珊，你跑到什麼地方去了，碧珊……」

少女聽見人聲，突然通體變得透明，在空氣中隱沒。

碧珊轉身便跑出亭子，叫長裙絆了一下，摔倒在地，一身泥斑。

有人大力扶起她，「在這裏了，月卿，找到她了。」

衆人拉着她又叫又笑又怨，「碧珊，找了你整個下午，我們要收隊才發覺不見了你，急死人，再找不着要報派出所了。」

碧珊怔怔地看着他們，不知從何說起，可不是，天色已經昏暗，她在亭子裏不過逗留了十來分鐘，沒想到外頭已是整天。

原來一個人要改變命運，竟如此耗時。

痴戀

志珊這一輪顯得沒精打采，時常覺得疲倦，週末坐在好友雪清家中，唉聲歎氣，百般無聊。

雪清責問：「世界上只有兩個巴仙人口，可以似你我這般豐衣足食，爲何尚悶悶不樂？」

志珊搔着頭，十分無奈，「生活本身是重擔，尋尋覓覓，快到三十，心中唯一想得到的卻一點影蹤也無。」

雪清說：「不是已經擁有若干名利了嗎？」

「不不不，雪清，我盼望戀愛。」

雪清嗤一聲笑出來，走到廚房去張羅簡單午餐。

是的，志珊自十五六歲起就渴望被愛：他視她爲宇宙中心，他戀戀她走過的路，她的一顰一笑，都受他歌頌，他愛她至海枯石爛，他爲她默默流淚，輾轉反側……

志珊陶醉地把頭靠在沙發上冥思，他聽她的話，小心翼翼，視她爲一

件珍貴的薄胎瓷，溫柔而熾熱的眼神時時帶愛慕的憂鬱，是，她渴望被這樣一個人深愛。雪清打斷了她的夢，「馮志輝不是對你很好嗎？」

志珊取起三文治吃，她都不想提到這個人，馮志輝是那種帶她去打網球然後叫她坐在太陽傘下等一個小時的人。

志珊認爲，她已經過了與異性互相試探年紀，可是對於戀愛，她永遠不覺太老。

雪清說：「大學下週舉行舊生會你去不去？」

「年年都在聚餐當兒比事業與身家，眞沒意思。」

雪清拍拍她肩膀，「我們活在一個眞實的世界裏，物質對我們來說十分重要，不要嫌老同學庸俗。」

「你去的話我也去。」

志珊本來就長得漂亮，當晚隨便打扮一下，穿上襲絲絨晚服，加上有點心思不屬，神情十分飄逸動人，男同學紛紛主動與她敍舊。

她站到露台上透透新鮮空氣，沒想到驚動了一個人。

「廖志珊，」那人輕輕叫她，「你來了。」

志珊一怔，那句叫聲裏充滿了感情，不是尋常招呼。

那人自一棵棕櫚樹旁走出來，他身段修長，眉目清秀，樣子有點熟悉，這是誰？

「志珊，你忘了，我是林世立，這幾年一直留在倫敦。」

志珊想起來，「當然，你是建築系的林世立，聽說在倫敦開設事務所。」

可是他似乎不願說經濟實惠的事，「聽，志珊，這首曲子，讓我們跳舞。」

志珊笑，「好呀。」

林世立的手似有點顫抖，「志珊，在畢業舞會中，你拒絕與我共舞，記得嗎？」

志珊一怔，「我一定是鬧情緒。」

「不，你當晚的舞伴張子峯不放人。」

志珊訝異，陳皮芝麻，這林世立君竟記得如此清晰，她有點感動。

他凝視她，「你不覺得這裏人多嘈吵？」

志珊問：「你有更好建議？」

「來，志珊，我一直沒有勇氣向你剖白，今晚可是我作出明確表示的時候了，請到舍下稍坐。」

志珊笑，「你彷彿有話要說。」

她跟他離開舞會，天有微雨，他脫下外套，搭在志珊肩上，才去把車子開過來，外套上，尚餘他體溫，志珊有種奇異感覺。

林世立住在山上，「老房子一直沒賣掉，你與其他同學來過一次，記得嗎？」

好像有，志珊不是很肯定。

林世立已經說下去：「你來借書，你喜歡看愛情小說，當天我推薦《咆吼山莊》與《紅樓夢》，你說中學時期已經看過。」

志珊看着他笑，「你堪稱有電腦記憶！」

老房子十分寬敞舒服，志珊剛想坐下，林世立過來握住她的手，「志珊，我愛你。」

志珊錯愕，「世立，我們已有好幾年沒見面——」

林世立把臉埋到她手心中，「志珊，現在我已有事業基礎，我可以坦白告訴你，自從第一次在大學見到你，我就一直愛着你。」他的聲音幾乎是哀傷的，因爲愛戀根本是痛苦的一件事。

他拉着志珊的手，走到一扇門面前，將它打開。

那是一間書房，驟眼看沒有什麼異樣，可是當志珊留神，她不禁打一個突。

書房內陳列的一切，都似曾相識，這是怎麼一回事？桌子上放着的，

是她團皺扔掉的筆記，紙角還有她的筆跡：如此悶課！在書架上，是她多年前遺失的手套、帽子以及鋼筆。

銀相框內全是她的照片，許多肯定是偷拍的，因為她正低頭在圖書館溫習。

志珊越看越奇，眼睛睜得老大，一隻碟子裏有半塊餅乾，難道這是她多年前吃剩的嗎？

然後，音樂開始，林世立走過來，「志珊，這是你拒絕與我跳的那隻舞，讓我再請你跳一次好嗎？」

曲子是老的田納西華爾滋，志珊額角開始冒汗，她表面上一點消息都不露出來，欣然與林世立共舞。

林世立全然陶醉在舞步中，滿足感完全像一償夙願的人。

舞後他取出一管口紅，「志珊，請為我塗上這個胭脂。」

「這是誰的唇膏？」

「志珊，是你用剩的，我自字紙簍拾起收藏，當年你最喜歡這個顏色。」

志珊旋開口紅，看到一隻俗艷的銀粉紅色，她手微微發抖，將唇膏塗好。

「我累了，想回家休息，我們明天見好不好？」

林世立並沒有反對，廖志珊是他的女神，他不會逆她意思。

他送她回家，一路上絮絮談着有關志珊過去一切，並且表示，今次，他有把握，他會贏得志珊的心。

志珊回到家，絲絨裙子背脊已濕透，她驚怖地嘔吐，將大門重重下鎖。

之後，雪清再也沒聽過志珊說盼望有人痴戀她。

誤會

單身人酒吧。

張海欣與羅國才正在物色有可能性的對象，目光炯炯，掃到每一個角落。

所謂單身，即今晚尚無伴侶，寂寞的心忐忑不安，趁着夜未央，來到展銷處，叫一杯飲料，細細打量，看到適合的人兒，好上前搭訕。

世風日下？不不不，古時的廟會、元宵節，說穿了其實也是類似場合，你以為唐寅是在什麼地方認識秋香的？

小張已經喝到第三杯威士忌了，他有點惆悵，「今晚沒有機緣。」

小羅安慰他：「時間還早。」

兩位男生都年輕，也算得上英俊，為着炫耀身段，穿着白色薄棉襯衫，一有汗氣，那布料就貼在身上，健康身形展露無遺。

也有長輩勸他們：「那種地方哪裏有好女孩。」

笑得張海欣打跌，可是，他們要找的，並非好女孩子，一日已經完

結，工作了十多小時，他們需要鬆弛，需要娛樂，來到此地，毫無心理負擔，不用再記得學歷、業績，在這裏，只要合眼緣便可。

與白天的冷酷理智世界完全相反。

小張幾乎肯定了，「沒有，今晚沒有。」

就在這個時候，身邊有隻手搭過來，小張抬頭一看，是位打扮入時的女子，正在喝黑咖啡，可惜年紀略大，臉容有點憔悴，可能有心事要傾訴。

羅國才一見這種情形，連忙把小張拉開，他們走到一張小圓枱坐下，小羅笑，「在這裏，單講肉體，不講靈魂，我不打算聽故事。」擠擠眼。

酒吧氣氛很熱鬧，琴師奏出一首古老流行曲《當煙霧迷了你的眼睛》，忽然之間，小羅說「看。」

張海欣順着他的目光看過去，只見一修長女郎，走進來，她先摘下頭上的帽子，再脫下外套，到櫃枱前，叫了一杯飲料坐下。

遠遠看去，她有細腰長腿，側臉只見挺直的一管鼻子，喝了一大口啤酒，她脫下鞋子，抖開了長髮，長長吁出一口氣。

「看上去好像十分疲倦。」

「嘜！好，疲倦的人意志力特別薄弱。」

兩個年輕男子不懷好意地笑。

「她是一間航空公司的空中侍應生，剛下班，身上還穿着制服。」

小張運用他的眼光，「是北歐維勤航空公司。」

「嘩，北歐，」小羅眉飛色舞，「夠開放。」

「你去，」小張說：「我讓你。」

「你太慷慨了，謝謝你，且讓她喝完這杯回回氣再說。」

「好漂亮的人兒。」

是的，那女郎用手托着頭，自有一股風韻，忽然之間，張海欣覺得惋惜，如此佳人，緣何跑到單身酒吧來。

「這樣好不好，我同你一起過去打招呼，然後各安天命，看她喜歡誰。」

「也可以。」但是腳並沒有動。

羅國才拿起酒杯主動走向女郎，小張只得緊跟。

他走到女郎背後，咳嗽一聲，女郎轉過頭來，俏臉不出所料十分秀麗，且和顏悅色看着他們。

小羅爲艷色所懾，先要清一清喉嚨，「我是彼得，他是保羅，請問尊姓大名？」

那女郎笑笑，「我叫瑪莉。」

張海欣覺得她很有幽默感。

「等人？」

「是，」瑪莉當然不是她的眞名字，「我還是第一次來這間酒吧，聽說是個很時髦的地方。」

張海欣正想搭訕，瑪莉忽然抬起頭說：「來了。」

呵，眞是意外。

只見一個高大碩健的金髮美人兒朝他們走來，正向瑪莉微笑呢，這下子好了，不用爭，一人一個，剛剛好。

羅國才喜出望外，單人酒吧內不乏怨女痴男，很少見到如此神采飛揚的美女，今晚是走了運了，他決定施出渾身解數。

「我們不如一起坐。」他建議，「今天由我請客。」

瑪莉笑，「我們不打算久留。」

「不要緊，我們隨時聽你倆吩咐。」

一行四人立刻搬到較大的枱子去。

羅國才問那後來的可人兒，「我怎麼稱呼你？」

「我叫奧爾嘉。」

羅國才一怔，這可能是眞名字，「你是挪威人？」

「不，瑞典，不過我家在巴黎。」

她似有私人話說，輕輕在瑪莉身畔講了片刻。

張海欣聽得出那是德語，他可聽懂三成法語，對德文一竅不通。

只見瑪莉也答了幾句，然後兩個人一起笑了，瑪莉像是放下心頭一塊大石似，適才疲怠的神情一掃而空。

羅國才大聲說：「女士們，我有個建議——」

瑪莉卻打斷他，「彼得，我們很有緣份，適才我進酒吧來時，心情沮喪，不料剛剛卻自奧爾嘉口中聽得一個最好的消息，碰巧你與保羅都在座，不如與我們分享這個喜訊。」

小羅先是一愕，隨即笑起來，只要情況對他有利，管那是甚喜訊。

倒是張海欣看出瞄頭不對，按住亢奮的羅國才，問瑪莉：「是什麼好消息呢？」

奧爾嘉笑了，「雙方父母終於批准我倆結婚。」

羅國才眼睛瞪得似銅鈴大，看着奧爾嘉情深欵欵注視瑪莉，瑪莉則緊緊握住伴侶的手。

小張與小羅半晌才能夠恢復神智，結結巴巴，找個藉口，二人一齊溜出酒吧。

街外寒風凜凜，正在下雨，呵氣成霧，空氣倒是十分清新。

小張仍然抱怨：「今日又泡湯了。」

小羅則說：「來，我們到鄰街那間去碰碰運氣——」

母親

鄧家三姐妹已經好久沒聚頭了，終於由小妹玉英發起，在溫哥華的大姐玉元家見面。

玉英自倫敦告了假趕去，老二玉永在紐約，路途比較近。

三姐妹在大門口緊緊擁抱。

「沒出發時直咕噥，」玉永笑，「見什麼見，通電話不已經足夠了嗎？老闆又不給假，可是咬咬牙，放下一切跑了來，又認爲値得。」

玉元說：「前年我見過老二，去年見過小妹，可是三人聚頭，已是四年前的事了。」

玉英笑，「太不像話，親姐妹，連胖了瘦了都不甚了了，媽媽知道，會怎麼想。」

說到母親，三姐妹黯然，母親去世，已經多年。

玉元連忙說：「快進來坐下，我們交換情報。」

三姐妹中只有玉元已婚，孩子才一歲多，蹣跚走出來，含着手指，笑

嘻嘻看着兩個阿姨，玉元立刻說：「囡囡，過來叫人。」

褓姆領着那幼兒走近。

玉永與玉英未婚，穿戴考究，最怕接近孩子，最終還是維持安全距離，客套數句，由褓姆抱了走。

「帶孩子很辛苦吧。」

「有人幫忙，還算是好的了。」

玉英問：「榮任母親，有何感想？」

玉元答：「我相信如果有子彈飛過來，我會毫不猶疑擋在孩子身前。」

玉永咋舌，「聲音那樣平和，可見是眞的。」

玉元微笑，「你們倆呢，孤家寡人，可風流快活？」

老二與小妹異口同聲，「一個人有一個人的好處。」

「有無異性知己？」

兩人又齊齊答：「有。」

三姐妹相視而笑。

「比較母親那一代，我們的選擇比較多。」

玉元沉默片刻，「我一生最不甘心的，是母親早逝。」

玉英苦笑，「大姐這不是打趣我嗎，我三歲就失去媽媽，比你們更苦。」

玉永忽然說：「不，今年是母親去世二十年紀念，那年玉英才兩歲。」

玉元說：「我七歲，我記得很清楚，母親病了頗長一段時候，臉容逐漸消瘦，可是還堅持照顧我們，小妹頗愛夜哭，她晚上時時起來看小妹。」

這時，家務助理出來說：「茶點準備好了。」

玉永詫異說：「玉元你過的是什麼生活，居然有兩個工人服侍，好不

奢靡。」

玉英一看到巧克力蛋糕，幾乎沒把整張臉埋下去，兩個姐姐直笑。

「可憐，那麼貪吃，將來最胖的一定是她。」

「我記得母親去世後，她不知媽媽去了何處，逐間房間找，然後坐倒在地哭叫媽媽，媽媽，眞叫人心酸。」

玉永說：「所以我怕做母親，身爲人母彷彿有個責任非活到八十九歲半不可，可以想像母親去世前是多麼不捨得我們，尤其是才兩歲的小妹。」

玉英抬起頭來，「不，是三歲。」

「小妹，你當時太小，記憶混淆了。」

玉英很肯定，「不，我記得很清楚，有一夜，媽媽推醒我，笑嘻嘻說：『囡囡你三歲生日，快來吃蛋糕』，那小小蛋糕上有三支小蠟燭，我三歲。」

玉元大大納罕，「小妹你三歲生日那天是外婆與我們在一起，外婆落淚說你可憐，從此見不到媽媽。」

玉永按住大姐，「慢着，且聽小妹把話說清楚。」

玉英堅持：「不錯，那一陣子，父親在新加坡出差，外婆來陪我們住，下午還帶我們到遊樂場，是不是？」

玉元笑，「這部份記憶又絲毫不錯，難爲你了。」

玉英說下去：「二姐不小心跌破膝蓋，結果外婆買了棉花糖補償她。」

玉永也答：「是，一點不錯。」

「晚上，我特別累，故此上床先睡，後來，媽媽回來把我推醒，叫我吃生日蛋糕。」

玉元與玉永面面相覷。

玉英說下去：「她長頭髮攏在腦後，穿件藏青色旗袍，把我摟在懷中

很久，叫我好寶寶，我記得我高興極了，但稍後她告訴我，她要離開我們，到一個比較遠的地方去，可是將來，我們必能見面。」

這時室內忽然靜了下來。

半晌，玉永說：「小妹那是你夢見母親。」

「哪有如此清晰詳盡的夢境。」

玉元忽然說：「若是夢境，如何解釋其他的事？」

玉永跳起來，「什麼其他的事？」

「第二天清早，外婆說，怎麼衣服都收下來折叠好了，還有，老二那從不整理的書包全收拾妥當，而客廳當中，放着隻吃了一角的蛋糕。」

玉永嚷：「當然是傭人阿三做的好事。」

「不，阿三當時回鄉探親去了。」

三姐妹用手托着頭，沉默良久。

隔一會兒玉永說：「二十年前的事，大家都小，記不清楚，母親在我

心中，只是一個淡淡淒酸的影子。」

玉元感喟：「她從來沒有享過福。」

玉英卻說：「她回來看我，大姐，她捨不得我，知道我到處找她，她回來看我。」玉元落下淚來。

玉英追問：「那一夜，你可聽到什麼聲響？」

玉元答：「我的確聽到啓門聲，起來視察，看見外婆與老二睡得好好地，但是你，小妹，你醒了，坐在床沿傻笑，雙目凝視牆角，一直憨笑。」玉永驚問：「你可看到什麼？」

玉元歎息，「可惜我什麼都沒看到。」

玉永溫婉地說：「現在你自己也是一個母親了。」

玉元惻然：「所以我知道，如果回得來，我一定也會回來看囡囡。」

活潑的玉英剎那間恢復了本色，「母親必然知道我們生活得不錯，可以放心了。」她握住姐姐的手。

羅衣

陳少媚在十歲左右就開始做這個夢。

她夢見自己在一間華厦中踱步，大厦分開多層，一道寬大的迴旋樓梯一直帶上三樓，屋裏不止她一個人，起碼有十來個同齡女孩子也似她般正四處遊覽。

她每年都做這個夢，到十五歲之際，少媚已經對那間華厦非常熟悉，也可辨出許多細節，她知道大厦依照洛可可式樣建造，屋頂那個小小圓形光井，叫做奧可路斯，而大厦裏，共有三十多道門。

夢境越來越清晰，終於有一天，她發覺自己在大厦三樓排隊。

少媚性格比較活潑，邊排邊問前後淘伴：「我們在這裏幹什麼？」

那些女孩都沒有回答，低頭不語，漸漸輪到少媚，她發覺她們三三兩兩輪流進入一間房間，進去的女孩，沒有照原路出來，大概另有出路。

十六歲那年，仍然做這個夢，不過她已站在門口，等候進門。

因爲年輕，少媚心中只有好奇，沒有害怕，她看到門口掛着一個牌

子，上面寫着羅衣二字，少媚聽過先敬羅衣後敬人這句話。

她於是想：進房去幹什麼呢，是挑衣服穿嗎？

少媚與好同學楊素滿說起夢境，素滿調侃地：「做夢都想穿漂亮衣服嘜？」

是的，少媚看看身上已穿得灰樸樸的白校服，覺得乏味的制服好比一個繭，有一日脫下它，她便好比蟲蛹化爲彩蝶，破繭而出。

厭倦了，等不及到社會看美麗新世界，少媚簡直渴望立刻進入那間標着羅衣的房間去。

十七歲生日那晚，她做的夢，便是看見自己推開房門，走進去，與她一起進房的，還有另外一個小女生，年紀比少媚還小一點點。

少媚自我介紹：「我姓陳。」

那小女生有一張方面孔，笑笑答：「我姓倪。」

少媚用手一指：「看！」

只見寬大的房間裏一排一排掛滿了各式各樣的衣服，色彩繽紛，少媚興奮得歡呼起來，奔到衣架面前去，就在此際，她聽到一把柔和的女聲說道：「慢着。」

誰？誰在講話？

室內燈光極之柔和舒服，但只有少媚與那姓倪的少女，她倆抬起頭。聲音溫和地繼續說：「聽仔細了，你們有十分鐘時間，每人只限挑一件衣服，換上後，立刻要走，請小心挑選，因為此衣不同其他，穿上極難脫下。」

少媚忍不住問：「那是什麼衣服？」

沒有人回答她。

少媚知道不可浪費時間，便在一排一排衣架前挑選，衣服全部新簇簇，並且在領口處結着紙牌，有的寫「律師」、「醫生」、「消防員」，有的是「畫家」、「教師」、「自僱生意」……

少媚忽然領悟，「噫，這不是一個人的職業嗎？」

另外那個少女也轉過頭來，「你也猜到了。」

少媚驚異，「一個人只得十分鐘來挑他的終身職業？」

「不，」那姓倪的少女說：「我相信你心中早已知道將來想幹什麼。」

少媚點點頭，「我要挑一份絢爛華麗的職業。」

她看到擠逼的衣架上有一件閃閃生光紫色鑲皺邊的衣服，連忙抽出來，啊那衣服不知用什麼料子織成，上下渾無縫子，顏色變幻無窮，質地輕柔無比，少媚低喊：「就是它了。」

只是領口牌子上寫：「戲服。」

「你想做演員？」

少媚醉心道：「是。」她連忙把戲服往身上套。

說也奇怪，衣服合身之至，穿在身上熨貼無比，陳少媚樂得轉了一個

圈，她永遠不會後悔穿上它。

她問對方：「你呢，你挑到沒有？」

少女點點頭，手上也拿着一件棕色不起眼的袍子。

少媚好奇，「你要做什麼？銀行家？」

「不。」那少女遲疑，把衣服遞近。

少媚看到牌子上標着「寫作」，她大奇，「那是什麼職業，那也算是一份工作嗎？」

少女頷首，「是，我喜歡寫小說，我願意成爲一個說故事的人。」

少媚意外，「呵，你想做作家。」

少女腼腆地笑。

「可是我聽說那是一門十分清苦的行業，即使做得好，收入也不高，你可考慮清楚了？」

少女頷首，「我都知道，我願意承擔風險。」她迅速穿上棕色袍子。

少媚有點欽佩，「倪小姐，我祝你幸運。」

「你也是，陳小姐。」

這時候，女聲又出現了：「時間已到，請從另一扇門離開房間。」

兩個少女緊緊握手，拉開出路門，夢就醒了。

十八歲那年，陳少媚考進某電影公司主持的演員訓練班，不到一年，才華顯露，為諸導演爭相聘用，轉瞬間走紅。

每個行業都有不足為外人道的陰暗面，少媚付出昂貴代價，換取名利，極之勞累之際她會撫摸身上無形的戲服，並且嗟歎：「果眞一旦穿上，再也無法除下。」

有一次在片場，連接拍了三日四夜戲，少媚累得不能再累，又還捱導演大聲斥責精神不集中，引致她放聲痛哭，扯下戲服，大叫：「我不幹了，我不幹了。」

第二天，又乖乖化妝打扮，向導演致歉，繼續連戲。

夢中那件斑斕的衣服漸漸變得沉重，噫，假使她挑的是醫生袍或是警察制服，情況會不會兩樣，生涯會不會好過些？

這些日子來，少媚一直留意有哪一名作家姓倪，假使她成了名，總會聽說有這麼一個人，少媚一直在等。

也許那方臉的女孩寫一輩子也不會成名，在該一刻，她可能正默默伏在哪張書桌上寫寫寫。

搜畫

夏雪貞第一次做這個夢的時候，大約是十六七歲。

之後，她每隔三五天就做同樣的夢，直至今日。

她看過心理醫生，向醫生詳細憶述夢境。

雪貞已是一個頗有名氣的記者，表達能力十分強，由她形容一個簡單的夢境，那眞是詳盡得不得了。

她如此對醫生說：「夢一開始，我已經站在房門口，推開白色的房門，來到一間鋪着米白色地毯的房間，那房間面積約一百平方米左右，十分寬敞，光線柔和，空氣清新，卻只有三件傢具。」

心理醫生問：「房內沒有人嗎？」

雪貞答：「除我之外，並無其他任何人，而那三件傢具，是一台電視機，放電視機的茶几，以及一張非常舒服的安樂椅。」

「房間有窗戶嗎？」

「沒有，四面都是牆壁。」

心理醫生沉思，「嗯，你是一個內向的人，你不想與外人溝通，可是你獨處之際卻又自得其樂，並不寂寞。」

雪貞看過好幾個心理醫生，他們都是那麼說。

只有一位女醫生比較細心，她問雪貞：「電視能收到節目嗎？」

雪貞眞的高興她那樣問，「可以。」

「那是一個什麼樣的節目？歌舞、肥皂劇，抑或是新聞時事節目？」

「都不是，醫生，」雪貞說：「每次我走進房間，都會在那張安樂椅上坐下來，枕着頭，取起電視機遙控器，按着它，觀看電視熒幕。」

「是何種節目？」連醫生都好奇。

「可惜什麼節目都不是，熒幕上出現的，只是快速搜畫，雜亂無章。」

「什麼？」

「喏，就像我們在一卷四小時錄影帶內找十分鐘重要片斷，爲着節省

時間，便按着快速搜畫掣，直到畫面出現我們要找的影像爲止。」

「嗯，可是，也總能看到是屬什麼類型的片斷吧。」

雪貞想一想，「慚愧，我竟沒有好好留意，彷彿是時裝，好像是一套家庭紀錄片，有一個少婦，一名幼兒，後來……記不清楚了。」

醫生笑，「下次再做這個夢的時候，好好留神，也許，答案就在那裏。」

可是夏雪貞的工作越來越忙，大都會裏每日不知發生多少事，一個記者的工作爲勢所逼不得不伸展到海峽兩岸以至更遠的地方去。

過了二十八歲生日，雪貞已不大做夢，實在太累，一上床就睡得死實，很有一眠不起的感覺。

然後，她遭遇到感情與工作上雙重挫折，在別人眼中看來，也許都是微不足道的小事，可是雪貞卻憔悴不堪，晚上一直沒睡好。

她開始偷偷借酒澆愁，而且，那個夢也回來了。

仍然是那間房間，那張柔軟的安樂椅，雪貞坐下去，喃喃道：「可惜沒有精彩節目，否則眞願意留在房內永遠不再離去。」

她相信心理醫生所言，這間房間這張椅子，象徵她的避難所。

雪貞按下遙控器，熒幕上出現的，仍是快速搜畫鏡頭，影像顫抖，一晃即過，熒幕中央還出現兩條刮花了的白帶，使人更加不耐煩辨別影片到底屬何種類。

雪貞嘗試按動遙控掣上其他按鈕，可惜全部無效，她歎息一聲，正想離開房間，忽然想起其中一位心理醫生的叮囑。

她坐下來，決定把電視上播映片斷好好從頭到尾看一次。

雪貞集中精神，盯着熒幕。

呵，畫面迅速出現，迅速消逝，是一個兩歲大的幼兒，梳兩角辮子，蹣跚走動，動作可愛，忽然之間蹿了一跤，大哭，一位少婦笑着過來拉起她，抱在懷中，痛惜地親吻，那一定是她母親了。

原來是套家庭紀錄片。

果然，那小女孩長大了，片斷所見，她已中學畢業，瞬息，又戴着方帽子參加大學畢業禮，影片移動速度奇快，人生每個階段只在熒幕上逗留幾秒鐘，不到一刻，記錄片內女主角已亭亭玉立，她戀愛了，身邊添一位英俊小生。

呵，接着她披上婚紗，是結婚了，忽然她手抱嬰兒，什麼，她也做母親啦！

雪貞心中暗暗突兀，本來，類此生活記錄片最平凡不過，可是以快速搜畫速度看來，只覺時光飛逝，觸目驚心。

跟着，主人翁已是中年人，她飛快地在觀衆眼前老去，白髮蕭蕭，身形漸變佝僂。

終於，她躺到病榻上，等待該刹那來臨。

雪貞看到該處，霍地站起來。

這是誰的一生？從頭到尾，在熒幕上不過歷時兩三分鐘。

雪貞凝神再看一次。

呵，女主角臉蛋圓圓，眼睛彎彎，這不是夏雪貞她本人嗎？

這竟是她！

雪貞瞪大眼張大嘴，原來熒幕上不住播放的是她的一生，時光如流水，一去不復回，她的一生在眼前嗖嗖飛飆而過，雪貞抬起頭，跌坐在椅中。

她的夢醒了。

說也奇怪，就自那天起，雪貞積極地收拾生活，從頭再起，做得更好。

她同心理醫生這樣說：「時間過得實在太快，用來傷春悲秋，太不划算。」

醫生問：「你還有沒有做同樣的夢？」

「沒有了，」雪貞悅然若失，「我最近在夢中老是被一羣惡狼追個不休，可見生活是眞的逼人了。」

醫生笑，「我知道，那些狼，長着人的面孔。」

雪貞笑答：「一點都不錯。」

救人

林志孝本來不是夜遊神，這一天眞是例外，那是他女友姚麗芬母親的生日，伯母的好日子適逢颳起颱風，全家興致索然，林志孝作爲未來女婿，自然義不容辭，他建議打牌。

一直打到午夜，伯母贏得盤滿鉢滿，才眉開眼笑，麗芬給他一個褒獎的眼色，他知道任務已完成，接着便覺得疲倦。

牌局並沒有結束，居然拖到凌晨兩時左右，林志孝揉揉雙眼，伯母彷彿起了善心，依依不捨道：「明早你還要上班，你且回去吧。」

林志孝一聽，如皇恩大赦，立刻告辭。

麗芬猶疑，「風大雨大，你駕駛小心。」

可是一出門，姚家便速速關燈就寢，林志孝回不回得了家，全是林某的事。

林志孝歎口氣，下樓去取車，只見天空漆黑，勁風呼呼，他一抬頭，大雨如豆般打向他面孔，有點疼痛，他也懶得用傘，索性冒着風雨上車。

姚伯母太無人情味，其實胡亂讓他在沙發上憩幾個鐘頭天就亮了，而且，風這麼大，她第二天又何用上班，可是她非把他撵走不可。

這樣會利用人及討小便宜的伯母，其實很難相處，林志孝覺得他要好好想清楚。

車子朝近郊駛去，他想到新近自置的公寓，心頭一陣滿足，麗芬也是看中他這一點吧，婚後有個現成的家。

公路上幾乎沒有車子，可是也有趁着風雨夜出來的飛車尋刺激的好漢。

林志孝金睛火眼地注意路面情況，額外留神，終於駛畢公路，轉入小路，他鬆一口氣。

就在這個時候，一個人形衝出馬路中心，張開手與腿，不住舞動雙臂，好比一個大字。

林志孝嚇一大跳，連忙踩腳掣刹車，新車性能好，拖了三十公尺左右

停止，那人撲到車頭上來。

林志孝發覺她是一個少婦，臉色煞白，渾身淋得如落湯雞。

林志孝連忙打開車窗，「太太有什麼事？」

少婦驚駭過度，一時說不出話來。

「你鎮定一點，慢慢說。」

少婦終於斷斷續續說出來：「先生，求求你，救人，前邊山泥崩瀉，埋住我的車子，後座有我的孩子——」

林志孝一聽，什麼睡意都消失無踪。

他立刻取過手提無線電話，打了三條九，清晰報告了緊急情況。

接着安慰少婦：「救護車十分鐘就到，你且帶我到現場去。」

他自車尾箱取過強烈電筒，把外套脫下，罩在那渾身顫抖的少婦肩上，向前直走。

這時風更烈，雨更大，舉步艱難，在電筒照明之下，林志孝看到了那

輛車，他倒抽一口冷氣，天，整輛車有四分之三埋在泥下，他不知是哪裏來的勇氣，奮不顧身，大聲問少婦：「孩子在什麼地方？」

少婦指向後座右邊。

林志孝把電筒交給少婦，打開車門，用雙手去挖泥，幸虧泥塊還算鬆，大塊大塊掉出來，林志孝也顧不得手指疼痛，只知道越快把孩子救出，越有機會挽救他的生命。

他看到了，孩子小小雙腳已經露出來，他連忙大力撥開泥巴，輕輕捧出孩子，那是一個三四歲左右的小男孩，看見亮光，張嘴大哭。

林志孝笑了，他看到少婦臉上感激莫名的表情，也看到自己手指頭都磨損出血。

就在這個時候，白光耀眼，照得大雨像牛筋似落下，警察與救護隊趕達現場，行動迅速，立刻動手，自林志孝手中接過男孩，並且問：「還有無傷者？」

林志孝還來不及回答，已經有人把一塊毯子搭在他肩上。問他姓名地址，以及各種情況。

他聽到另一邊有人叫：「車子裏還有人！」

林志孝詫異，還有？可是少婦沒提到此人。

救護人員已把車中另一名乘客自車頭拖出放在擔架上。

林志孝聽得有人歎息：「不行了，這個沒救了。」

大家都低下頭。

警察過來問：「林先生，你第一個抵達現場，一共救出幾人？」

林志孝據實答：「一共兩個生還者，他們是兩母子。」

那年輕的警察一愣，「你說是兩母子？」

「是，母親在風雨中攔停我的車，叫我救人，我報警後挖出小孩，一共兩個生還者。」

警察張大了嘴，像是不置信。

那時救護人員前來報告：「車內已無人，我們要收隊了。」

警察卻接問：「她在多久之前攔住你的車子？」

「十分鐘或十五分鐘之前。」

「那少婦呢？」

一言提醒林志孝，他四處看了一看，咦，少婦到什麼地方去了？他的外套落在不遠處的地上。

「林先生，請你說一說少婦相貌。」

「廿六七歲，容貌秀麗，大眼，尖下巴，瘦削身材。」

警察沉默一會兒，然後說：「林先生，幸虧你第一時間趕到場協助救人，否則他們母子將罹同一命運。」

林志孝一凜：「你說什麼？」

「請跟我來。」

警察把林志孝帶到救護車上，擔架上躺着一個人，用毯子自頭到尾覆

蓋着。

警察輕輕掀開部份毯子，很鎮定地問林志孝：「是否這名少婦？」

林志孝看到死者的臉，渾身凝住，張大嘴，寒毛直豎，一句話都說不出來。

那年輕的警察輕輕道：「要不是你眼花，要不，是她的精魂懇求你救她的孩子，林先生，你達成了她最後願望。」

雨更大了，撒在車頂上，噼嚦啪啦，一如下雹。

復仇

「馬惠貞！你有什麼資格做我們的同學。」

「馬惠貞，識相的自動退學。」

「誰不知道你母親是個舞女！」

一班女學生追在馬惠貞身後叫嚣，開頭還隔着三四公尺，馬惠貞漲紅了臉，越走越急，可是那四五個同學的步伐也跟着加快，貼住她繼續恥笑。

「你妄想同我們平起平坐？」

「你是什麼東西。」

「何必辛苦考試，承受令堂的衣鉢便一了百了。」

馬惠貞掩住耳朵飛奔，可是那幾個女學生絕不放棄，興奮地追在後邊。

衝過馬路時引起車輛急刹車，險象環生。

其中一個說：「算了，放過她吧。」

另外一個答：「快，跟大家追上去。」

終於把馬惠貞逼至一個角落，有人伸手去抓她，馬惠貞奮起反抗，出力反擊。

「嘩，打人，打人！」

衆女生撲上去痛毆馬惠貞，把她掀翻在地上。

第二天，馬惠貞受召到校長室，班主任與訓導主任都列席。

馬惠貞手腳都擦了紅藥水，臉上黏着膠布，她想，這次我的沉寃或可得雪。

可是校長鐵靑着臉一開口便說：「馬惠貞，現共有五位同學一齊告你當街挑釁引致打架，可有此事？」

馬惠貞不相信雙耳，「誣告！」

「這次意外導致警察到場，令校譽蒙污，現不得不勒令你退學。」

馬惠貞氣得渾身顫抖，「不關我的事，是她們追着我——」

訓導主任一揮手，「馬同學，聽說，你母親在夜總會任職？」

馬惠貞瞪大雙眼，不再言語，她握着拳頭，知道她未進校長室之前，他們已將她定罪。

校長與訓導主任只想每天工作順利完成，月底領取薪水，任何令他們生活不愉快的因素必須迅速剷除，不用細究，作育英才有教無類云乎哉，不過說說而已。

班主任咳嗽一聲，「馬同學，你功課本來不錯——」

馬惠貞淡然站起來，「我會退學。」

校長立刻遞一封信給馬惠貞：「這是給家長的信。」

剎那間馬惠貞像是長大了十年，她輕輕接過信件，轉頭離去。

接着，她回課室收拾書包課本，聽到背後有冷笑聲，哼唧的語氣諷刺地私語：「終於走了」、「從此天下太平」、「不正經的女孩子」……

一沉百踩，哪顧得黑白是非，即使有朝水落石出，這班嘲弄過她的人

也不會站出來致歉。

馬惠貞硬着頭皮挺直腰身走出校門。

站在大太陽底下，她有點暈眩，路面柏油被曬得軟化，馬惠貞更有踩在五里霧中的感覺。

忽然聽到有人叫她：「馬小姐，怎麼一個人站在這裏？喂，別老不睬人好不好？」

馬惠貞一看，是個熟口熟面的小流氓，這樣的人在這條街上少說有十來個，平時在學校區留連，有機會便爲組織吸收新血，專門伺機乘虛而入。

馬惠貞很鎮靜，笑一笑，「帶我去見你大哥。」

小流氓一怔，「我大哥不胡亂見人，你有話同我說一樣。」

「快去傳話，遲者自誤。」

「明人跟前不打暗話，你媽也受他保護，你知道嗎？」

小流氓得意洋洋取出手提電話，撥通號碼，說了一會兒，抬起頭來，「叫你去緣緣冰室等，看，對你多好。」

不到一刻鐘那大哥就來了，高大英俊，廿餘歲，穿非常考究的西裝，驟眼看像哪個男歌星，他坐下來，耐心聽惠貞的故事。

惠貞一五一十把委屈告訴他，不自覺落下淚來，那大哥無比耐心，掏出雪白手帕給惠貞抹眼淚。

「你放心，我會幫你另外找學校讀書，從此我們像兄弟姊妹一樣，還有，今日之事，我會替你擺平。」

惠貞睜着大眼睛，感激得說不出話來。

大哥把手按在她肩膀上，「你就坐在這裏看好戲。」

惠貞拚命點頭。

當日下午，放學時分，學生們陸續走出校門，惠貞看到陷害她的對頭笑着出來等車，說時遲那時快，不知自哪角落竄出幾條大漢，對牢女生拳

打腳踢，校門口頓時大亂，哭叫聲大作，有人報警，可是大漢得手後迅速逸去。

惠貞看到校長全身簌簌發抖趕出來，一邊氣得跳腳，校譽終於還是保不住了，最後，救護車前來把那幾個女生抬上擔架。

惠貞感覺到復仇的快意。

當世上無人爲你伸張正義的時候，你非得自己解決事情不可。

第二天是星期日，下午，母親起床，打開報紙，看到新聞，不住驚歎。

「校門前毆打，疑是不良分子尋仇，警方決意深究，哎呀，惠貞，這不是你的學校嗎，難怪你想轉校，我這次不反對。」

惠貞微笑，「我已找到新校，晚上又找到兼職，替小學生補習。」

「不要去得太晚，治安欠佳。」

「是，母親。」

「唉，其實，青年心中有事，可與師長與同學商量，你說是不是？」

「是，母親。」

「也可以跟父母說呀，怎麼會去投靠黑社會呢，那可要付出多昂貴的代價，我眞不明白爲何年輕人會得纏上黑人物。」

惠貞仍然微笑，「是，母親，我也不明白。」

「我要去上班了。」她母親婀娜地站起來。

馬惠貞最不明白的是，爲什麼母親這十年八年來堅持在出入口公司任職，而每天辦公時間由下午六時至凌晨三時。

筆友

五十年代也許是這個都會最溫馨的日子，物質廉宜，三毛錢可以吃一杯冰淇淋或是小碗雲呑麵或是看早場卡通，女孩子漂亮而單純：希望中學畢業後做空中小姐，或是嫁一個可靠的對象，最好是擁有一輛紅色小跑車那種，而男性也普遍認爲婦孺應當受到愛護。

街上交通暢通，人口約百多萬，大部份人都可以安居樂業，彼時，電視尚未啓播，傳眞機還未發明，當然也沒有電子遊戲機，甚至連電話都是奢侈品，年輕人十分喜歡一種時髦的玩意兒，叫做結交筆友。

喏，顧名思義，就是靠一支筆做朋友，即是互相通信。

雜誌報紙上都徇衆要求，刊登徵友欄，密密麻麻登着人名地址，注明嗜好，像：「白朗，男，廿一歲，業文員，喜歡閱讀，駕駛及打羽毛球，性格活潑，希望與年齡相仿的女孩做筆友。」

有意者可去信試探，對方如覺得條件及格，便會開始友誼第一步，信不信由你，這個遊戲居然撮合了不少年輕人。

通信到某一地步，筆友通常會交換相片，看過硬照，還不滿足，就只好約會見面看個眞切了。

不，那時還沒有攝錄影機，當然也沒有錄影帶，別駭笑，物質享受的確十分貧乏，可是物質與快樂並不掛鈎，且聽我把這個故事說下去。

筆友見面的地方在何處？

不外是公園、圖書館，或是咖啡店。

尤其以咖啡店最受歡迎，地方幽靜，方便談話，而且，等得稍久也不妨。

琪琪咖啡店正是最受年輕人歡迎的一個歇腳處。

咖啡與紅茶一塊錢，栗子蛋糕一元二角，與雞蛋三文治同價，下午二時到五時播放古典音樂，不另收費，冷氣開放，招呼殷勤，端的是個好去處。

也是筆友們第一次約會的理想地點。

侍應生李志學見慣男女筆友等人。

他們怕對方認錯，故定下標記，通常約好在桌上放一本書，當然是《戰爭與和平》或是《傲慢與偏見》，再加一枝紅玫瑰，一望即知，準錯不了。

清潔阿嬸端杯子出來時呶呶嘴，「看，又是筆友。」

李志學也看到了。

一個皮膚白皙的少女，頭髮梳馬尾巴，穿白襯衫，大蓬裙，正用手托着下巴，分明是在等人。

阿嬸說：「那男生遲到。」

「也許是塞車，略遲不妨。」

阿嬸觀察入微，「噫，他們的標誌是一朵栀子花，十分別緻呢，昨天有一對用丁香花。」

李志學好奇，「昨天是我例假，結局如何？」

「那男生足足等了半小時才見到女生，歡天喜地談了一會兒，高高興興地結賬走了。」

「啊，那多好。」

阿嬸不以為然，「這種風氣始終有點邪門，少男少女應當循正當途徑結交朋友，你說是不是，不過，世風日下，古靈精怪的把戲層出不窮。」

李志學笑，「阿嬸，你那個時候，如何結識異性？」

阿嬸拉下面孔，「父母之命，明媒正娶。」

李志學笑着噤聲，他家境欠佳，一早出來工作，自然沒有時間精力搞徵友遊戲。

他走過去替那女孩子添咖啡。

那女孩抬起頭來輕輕說謝謝。

除卻清澈的雙目，五官有點平凡，希望她人像梔子花一樣，外形普通，可是芬芳撲鼻。

下午茶時間到了，人客漸多，李志學忙碌起來。

忙了一陣，無意中朝七號桌子一看，咦，少女還獨自坐在那裏，歪着頭，已有點憔悴，她的筆友未來。

已經等了大半個小時了。

李志學有經驗，知道對方可能是失約了。也許他提不起勇氣，也許在最後一分鐘，他覺得約見陌生人十分愚昧，也可能他臨時有事絆住走不開，當時又沒有手提電話，無法通知對方。

李志學再替她添上咖啡。

她幾乎已經淚盈於睫。

「請替我看看餐廳裏有無一位客人，桌子上也放着一朵梔子花。」

李志學好脾氣地說：「我替你找。」

當然沒有，有一桌是古典音樂愛好者，正在談論柴可夫斯基第一號鋼琴協奏曲有何精妙，另外三桌是情侶，兩支吸管額頭對額頭喝一杯冰淇淋

蘇打，還有一桌是生意人，另外一對是女子。

李志學上前報告：「不見。」

少女沒精打采，「請問幾點鐘了？」

「下午四時。」

少女垂下頭。

李志學對她的清純頗有好感，希望她的筆友快快出現。

下午五時是下班時分，又換了一批客人，那個女孩子仍然呆呆坐在那裏，李志學真覺得殘忍，她早該走了，緣何還痴痴地等？難道，對方的信寫得太過婉約動人，抑或，她寂寞孤清，對這個筆友有太大的寄望？

又一個小時過去了，茶市經已結束，晚餐時間開始，李志學與其他工作人員爲桌子鋪上枱布。

那少女不得不站起來，取起她的書及梔子花，悄悄離去。

清潔阿嬸正在掃地，看着她的背影說：「唏，若干年後，她想到今日

之事，會笑自己年幼無知。」

可是今天她肯定無比傷心。

阿嫦忽然低呼「看！」

李志學急忙走過去，他看到三號枱底下有一朵被丟棄的梔子花。

阿嫦說：「那筆友來過了，看到了她，可是不滿意，丟下花，偷偷走掉，沒上前相認。」

李志學輕輕拾起那朵花，無限惋惜。

「眞邪門，這種玩意兒，遲早會被淘汰，」阿嫦肯定地說：「時代進步，年輕人會長智慧……」

紀念

李玉貞走到老人面前坐下。

現在的老人都不顯老，這一位也不例外，他約七十左右年紀，精神矍鑠，雙目炯炯有神，修飾得十分整齊，看得出有專人服侍，環境優劣，在老人與孩童身上最見功，他們要養尊處優才顯得矜貴。

老人叫鄧日輝，託了一個相當有地位的中間人，要求與玉貞見面。寒暄過後，鄧老先生開門見山地說：「李小姐，今年你在宇宙機構取得最佳表現獎。」

玉貞一怔，這位老先生對她的事倒是知道得十分清楚。她笑笑答：「是，那是敝公司一年一度舉行的內部選舉，既蒙錯愛，以後怕要好好地幹了。」

老先生似乎對她在公司裏表現無甚興趣，只是集中精神說：「其中一項獎品是，你可獲董事長青睞，到她處喝下午茶是不是？」

玉貞更加納罕，鄧老先生知道得眞不少。

她點點頭：「是，我可獲董事長接見。」

老人凝視她，「李小姐，我有一項請求，請你聽清楚。」

玉貞好奇心也越來越熾：「請說。」

「董事長在小聚後會請你進書房——」

玉貞忍不住打斷他，「請問你怎麼會知道？」

「別問，我知道就是了，你小心聽着，她會叫你在書房林林總總陳設中，挑選一樣，作爲獎品，留作紀念。」

玉貞大大訝異，她竟不知道宇宙機構有如此慣例。

「李小姐，我請求你，選這一隻金盒子，帶出來給我，這是你首期酬勞，我看到盒子之後，再付你尾期款項。」

老先生出示一張照片與一張銀行本票。

玉貞脫口說：「鄧先生，我不等錢用。」一眼看到本票上的金額，竟是七位數字，等於她一年薪水，不禁怔住。

玉貞臉色凝重起來，連忙看照片中究竟是什麼盒子，很奇怪，那是張黑白着色照片，看得出盒子由黃金鑄造，註明實物大小是四公分長三公分闊二公分厚，盒子通體有精細的雕花。

玉貞看仔細一點，「嗯，盒蓋上的刻花是希臘神話中的月神與狩獵之神戴安娜。」

老先生說下去：「李小姐，我請求你把這隻盒子轉售給我，你願意嗎？這件事，只有你同我知道，不會造成任何人不便，也不會損害任何人。」

玉貞心一動，「每年獲董事長接見的人，都可以到她書房中參觀？」

老人答：「不錯。」

「他們選中的獎品——」

「都由我指定，均被我收購。」

玉貞是個實事求是的現代女性，她取起本票，「好，鄧先生，我答應

你。」

老先生緊張的心情鬆弛下來，不再言語，過一刻，他便站起來離去。

週末，是玉貞領獎的大日子。

她做過資料搜集，原來英維多利亞女皇對於服務出色的宮廷人員也作此獎勵：你們可隨意在書房諸擺設中挑一件作爲紀念。

董事長劉碧慈是位神秘的老小姐，約半個世紀前承繼了龐大的地產王國，地位亦十分尊貴，近年已很少見外人。

玉貞沒想到她如此可親，管家一通報她便走出來，滿面笑容，「是李小姐吧，我最欣賞聰明能幹的年輕人。」她已上了年紀，銀絲般頭髮樣子做得很好，極爲瘦削，故健步如飛，年輕時，肯定是個可人兒。

她招呼玉貞到玻璃溫室喝下午茶，四周圍都是罕見蘭花品種，氣氛清美，玉貞心曠神怡。

約十五分鐘後，她領玉貞進書房，玉貞忽然想起，從前中國得寵臣子

獲賜「御書房行走」殊榮一事。

書房佈置十分華麗，小擺設極多，一眼看去，珍貴無數，玉貞認得出的有花百姿、百寶蛋、卡地亞透明鐘等，那隻金盒子，實在不算珍品，玉貞忽然明白鄧老先生為何出價如此之高。

她一眼看到金盒子在水晶枱燈旁邊，只是不露聲色。

董事長開口了：「你可以隨便挑一件，作為紀念。」

玉貞立刻做出驚訝及高興的樣子，她伸手取過那隻盒子。

董事長點點頭：「它是一隻香膏盒，雕工細膩，不可多得，你看到盒蓋上刻的月神戴安娜嗎，我的英文名便叫戴安娜。」

玉貞的心一動。

接着，董事長便送她到門口，叮囑道：「好好的幹。」

玉貞離去時抬頭看了看那幢廿多間房間的華厦，財富多得一個人花不光的時候，似乎沒有多大意義。

翌日，鄧老先生再度約她在私人會所見面。

玉貞輕輕把金盒放在桌子上。

老先生把另一張本票交予她。他雙手有點顫抖，把金盒子握在其中，低頭不語。

玉貞輕輕說：「許多許多年前，這盒子是你送給她的紀念品吧。」

老先生歎口氣，「李小姐眞是位聰明人。」

「我們所領得的獎品，泰半由你所贈，可是這樣？」

「是，可是她並不珍惜，與其淪落人手，不如由我收回。」

「也許她擁有太多。」

「不，她刻意要忘記我。」

半個世紀過去了，他仍然沒有忘記她。

交易已經完畢，玉貞告辭。

老先生把玩那隻小小金盒子，精魂似回到多年之前，他年輕之際的一

個五月天去。

玉貞吁出一口氣，現代人才不會有那樣惆悵那樣欷歔的奢侈，她轉瞬間便決定把紀念品出售，她才不會花一生思念一個人。

吻盜

深夜，酒吧，燈紅酒綠，人擠人，到這種地方來通常只有兩個目的：一，買醉，二，希望有艷遇。

李汝敦，男，四十四歲，身形維持得還可以，只是前額頭髮略為稀疏，他抱着第二個目的，在酒吧裏已獨自坐了近兩個小時。

前幾天有年輕的同事告訴他，在這裏被兩個金髮女郎同時看中，度過了十分愉快的一夜云云，李汝敦覺得臨淵羨魚，不如退而結網，故此到此守株待兔。

女孩子不是沒有，他也不是不知道如何開口，只是李汝敦貪婪，他希望挑一個絕頂漂亮的。

花點錢無所謂，至要緊物有所值，是不是。

他金睛火眼那樣打量來往的女客，雖然已經深夜，卻毫不氣餒。

每隔半小時，他叫一杯混合酒，卻又喝不完，一排那樣放在小桌子上。

忽然之間，李汝敦眼前一亮，一個高佻豐滿的身形出現，在他對面枱子坐下。

那女郎十分年輕，大概只有二十出頭，長頭髮呈波浪形，遮住半隻眼睛，穿件銀色吊帶窄裙，端的風情萬種。

哎唷，她朝着他笑呢。

李汝敦不由得轉過身去看看身後還有什麼人。

沒有，她的確是對他笑。

接着，她自手袋取出一支香煙，卻找不到打火機，作無奈狀，看着李汝敦打出求助訊號。

李汝敦在等待的一刻終於來臨，他從來沒見過那麼漂亮的女子，驟眼看簡直像某位女明星，她行頭打扮均十分時鮮，可見環境不錯，也許，可以不講錢？

李汝敦連忙過去替她點火。

女郎笑了，「我並不抽煙，我只是想認識你。」

李汝敦聽了，十萬八千個毛孔都舒服熨貼無比，爲這種老掉了牙的勾搭詞顚倒不已。

他問：「爲什麼是我？」

女郎笑笑，「你成熟、老練、穩重、智慧，是那種會得愛護及保護女性的人，我最喜歡這種男士。」

「是是是。」李汝敦知道他終於等到了。

女郎笑說：「我叫紅顏。」

李汝敦一怔，「也只有你配叫這樣的名字。」

紅顏說：「謝謝你，來，讓我請你喝一杯。」

「你請我？」

「爲什麼不？」她笑着到櫃枱前去買酒。

李汝敦看到她那曲線分明的背影，十分興奮，今晚眞是走運！

紅顏取着酒回來，把椅子拉得很近坐下，李汝敦可以聞到她身上清幽的香水味。

「來，」紅顏說：「告訴我關於你。」

李汝敦清清喉嚨，「我做成衣生意，是個商人，已婚，有兩個孩子。」

他留意紅顏反應，女郎毫不介意，「會跳舞吧？」

「會，我的交際舞跳得不錯。」

「那還等什麼，還不帶我去示範一番？」

李汝敦遲疑一下，「舞廳夜總會都快打烊了。」

「是嗎，」紅顏嫣然一笑，「你有什麼好主意？」

李汝敦鼓起勇氣說：「我妻子帶着兩個孩子到溫哥華去了，家裏只有我一人，我有副上佳的音響器材，……你說怎麼樣？」

女郎大眼睛眨了眨，考慮半刻，李汝敦緊張地等待她答覆。

女郎喝盡杯中的酒，「好吧。」

李汝敦大喜過望，幾乎有一陣暈眩，匆匆拉着紅顏離開酒吧。

他駕駛一部德國房車，把她載回近郊家中。

紅顏進門坐在沙發上嬌慵地說：「好地方，有無美酒？」

「有有有。」李汝敦立刻去張羅。

接着，他又播放了悠揚的跳舞音樂。

「來，」女郎踢掉了鞋子，「陪我跳舞。」

李汝敦神魂顛倒地擁着她纖細柔軟的腰肢，女郎細膩的臉頰漸漸貼近，李汝敦只盼望如此良辰美景可以永留不去。

他的腳如踏在九重天上，女郎輕輕在他耳畔哼曲子，她的朱唇就在他耳邊摩娑，忽然間，那柔軟麻癢的感覺移到他唇上，這是名符其實的一個香吻啊，李汝敦眼前發黑，突然失去知覺。

第二天，李汝敦想了又想，還是報了案。

派出所兩位警員愼重地幫他落口供，並且傳來繪圖員幫他拼出疑犯的樣子。

兩位警員走到一角商議此案。

「四十多歲的生意人，怎麼好像昨天才出生一樣，竟會相信年輕貌美的艷女會無故向他投懷送抱。」

「唉，一覺醒來，發覺全身上下財物不翼而飛，還有，家中財物幾乎搬個精光，連電腦及音響設備都不能倖免。」

「那艷女顯然有同黨。」

「是呀，他以爲他釣人，其實人釣他。」

「艷女已經不是第一次出動了，這是有組織罪行，專門利用漂亮的女子四出物色羊牯，行家叫她們吻盜。」

「眞是，在香吻中把麻藥傳到受害人身上，待他們失去知覺，裏應外合，予取予携。」

「受害者？他不是求仁得仁嗎，艷福不淺呀。」

「據他說，都不知道怎麼向妻兒交待才好，還有，連臥室中收藏隱蔽的一隻小夾萬也被抬走，裏頭有五隻鑽錶及一套百餘枚罕有金幣。」

「代價不少啊。」

李汝敦總算完成口供，在表格上面簽了名。

不知怎地，在陽光下看去，他比昨夜老了十年不止，頭頂上頭髮更爲稀薄，臉容憔悴，精血像被什麼妖怪吸盡了似。

也許，他失去的不只是財物，吻盜偷去最名貴之物，是他的自信。

狩獵

馬思融夫婦今晚招待的客人是江氏伉儷。

江日長是都會裏新貴之一，平地一聲雷那樣冒了起來，人們都認爲年輕的他龐大財產來歷不明，可是又不得不勢利地抬捧着他，更顯得他身分神秘。

馬思融剛相反，家世顯赫，一直可以追溯到三代以上，雖然在那個時候，生意人的社會地位並不高，士農工商，只不過擺在末位。

馬氏幾乎與江日長一見如故，江君英俊瀟灑，爲人又十分謙和，正在尋找投資項目，與馬思融一談即合，另外還有一個理由，馬思融幾乎不好意思說出來，那是江日長那美麗的妻子，實在使他好感。

江太太葉如茵比城中任何名媛更美更有修養，與她相處，如沐春風，不止是馬氏一家願意親近她，據馬太太說，最多在一個月內，葉如茵試過參加四十多個晚宴，最近實在累了，才推掉部分約會。

今晚，只是兩家人在馬宅吃晚飯，廚子做了清淡可口的家常小菜，賓

主談得極其高興。

江太太葉如茵坐在柔和的燈光下，美麗精緻的臉彷彿散發出淡淡熒光。

馬太太不由得讚道：「如茵你皮膚眞好，不知如何保養。」

葉如茵笑不可仰，「睡眠充足，多做運動，不知你信不信。」

忽然之間男女們的話題轉到運動上去，馬思融說：「我不大喜歡慢條斯理的運動，兩個兒子像我，他們在加拿大喜打冰曲棍球。」

江日長加一句：「馬球也尙可，同時可訓練騎術。」

馬思融的興趣來了，「日長兄，不知你認爲什麼是最刺激的運動？」

江日長毫不猶疑地道：「狩獵。」

馬思融啊地一聲，像是深得吾心的樣子，「日長兄，希望你不是指英式追狐狸那種象徵式狩獵。」

「當然不，」江日長笑，「我指到非洲大陸狩獵野生動物。」

這時，江太太葉如茵忽然輕輕咳嗽一聲，像是提醒丈夫不要說得太多。

馬思融哈哈笑起來，「明人眼前不打暗話，請江兄來看我的藏品。」

他領江氏夫婦走到大宅二樓，推開兩道門，開亮了燈，客人看到四面牆壁掛滿林林總總動物頭部標本。

江日長頗爲動容，「馬兄，沒想到你是獵戶。」

「家父與我都喜歡狩獵，這裏大部分是他的戰利品，實不相瞞，此刻參加狩獵已屬違法。」

江日長說得十分含蓄，「可是從前稱黃金海岸與象牙海岸的幾個國家——」

馬思融訝異，「沒想到江兄亦好此道，眞正意外。」

江日長凝視一頭雄獅標本，牠作咆吼嘶騰狀，目眥欲裂，像是十分不甘心被掛在牆壁上成爲裝飾品，隨時會撲下來復仇。

江太太葉如茵緩緩說：「江家昔日在南非擁有一小小鑽礦，後來被盎格羅阿美利加公司奧本咸默氏收購，這才轉到東南亞投資，故此對黑暗大陸頗有了解。」

這無異解釋了江氏財產來源，馬思融更覺親切，因說：「最近不少動物瀕臨絕種，狩獵已全面禁止，我等已無用武之地。」

美麗的葉如茵卻毫無懼色地笑了，環顧室內標本，問：「馬太太爲什麼不進來？」

馬思融有點遺憾，「她頗有婦人之仁，覺得狩獵殘忍。」

葉如茵仰起頭笑，「可是人類祖先全屬獵戶。」

馬思融也笑：「如茵你說得是。」

他們走出標本室，馬太太準備了咖啡，兩個男人又談了一會生意上細則，江日長見時間差不多，便起身告辭。

歸途中江氏夫婦略爲沉默，然後，江日長說：「一切如意料中發

展。」

「可是，」葉如茵對丈夫說：「馬太太膽怯。」

「不要緊，馬思融是嗜血之徒，你看到他的狩獵照片嗎，有些是今年才拍攝的。」

葉如茵笑，「是，照片中吉甫車是最新款式。」

「我認爲可以吸收馬氏進入我們組織。」

葉如茵微笑，「他絕對具資格。」

江日長忽然感喟了，「地球人眞是一個奇怪的品種。」

葉如茵頷首，「誰說不是。」

江日長講下去：「不但無限度殺戮動物，且不住互相殘殺，天性兇暴。」

葉如茵笑着接上去：「大部分如此，連他們的上帝，在毀滅罪惡之城之際，都找不到一個義人。」

「如茵，我們眞幸運。」

「是，獵戶座是一個平和的世界。」

車子已駛抵郊外別墅，江氏夫婦下車，進入屋內。

這間別墅面積寬敞，設備先進，特色是沒有太多家具擺設，留着許多空間。

葉如茵坐在沙發上，「同他們做朋友，有時眞是怪累的。」

「不要緊，上頭知道我們苦處，不久便可調返總部。」

如茵感喟，「離鄉別井，眞不是易事。」

「可是，在落後地區生活，也可享有特權。」

如茵嬌慵地笑，「是，至少你可以繼續享受你喜愛的運動。」

江日長，那是他在地球上用的名字，站起來，穿過一條長廊，走到一間大廳之前，推開兩扇門，室內燈光自動亮起。

室內四面牆壁上掛滿標本，原來他家裏也有一間那樣的房間。

江日長對妻子說：「地球上許多動物都受到保護，正如馬氏所說，狩獵已不能公開進行，可是世上到處有戰爭，在戰場中殺戮，宛如狩獵，刺激或有過之。」

「下次請馬君來參觀我們的標本。」

葉如茵說：「這不過是一項運動。」

「當然，他們覺得所有動物都該殺，我們也覺得他們與他們的動物無甚分別。」

江日長離開標本室，燈光自動熄滅。

糾纏

高一峯在大門前與女伴話別，兩人都有點依依不捨，他緊緊摟着她，深深凝視她，正想吻她，兩人的臉龐越貼越近……

忽然之間，一道強光直向他們射來，兩人吃驚，本能地用手遮住眼看過去，發覺原來是一輛汽車的車頭燈，接着車號大響。

高一峯又驚又怒，他心中已有分曉，知道這是誰。

他反應迅速，連忙推開大門，同女伴說：「你先進去躲着，千萬不要出來。」

然後轉過身來，鐵青着臉，盯着那輛車子。

高一峯的女朋友住在郊外一列複式別墅其中一間，四周環境非常幽靜，此刻鄰居養的犬隻被車號吵醒，紛紛吠將起來。

有人開亮了燈，到窗前探視。

高一峯大聲喝道：「方宇婂，你再不走，我可要報警了。」

車門打開，一個女子走出來，仰頭哈哈大笑。

高一峯咬牙切齒罵道：「你這瘋婦，你還要糾纏到幾時？」

這時，鄰居在窗前喊：「要吵架往屋內去，不然我要打三條九了！」

那方宇嫦見目的已經達到，一對鴛鴦已被驚散，立刻上車駛走，她風馳電掣奔向市區，一邊大聲尖笑，勁風自車窗撲向她的臉，吹得頭髮散亂，她狀若癲癇，五官猙獰，笑着笑着，她落下淚來，高一峯說得對，她似足一個瘋婦。

那邊厢，高一峯正向女伴解釋：「她是我前妻。」

那年輕女郎已嚇得面無人色，「我從未見過那種場面，你離婚不是已有十年了嗎？」

高一峯歎口氣：「我忘記告訴你，她一直沒有放過我。」

「什麼，她一直跟蹤及騷擾你？」

「是。」

「有無威脅你人身安全？」

「有。」

「可有實踐？」

「曾受警方控訴藏有攻擊性武器。」

那女郎幾乎沒哭出來，「高一峯，我想我們以後還是不要再見面了。」

高一峯急急辯道：「這正是她目的！」

女郎急急搖頭，「太危險了，我不想與她作對，你請回吧，我們到此爲止。」

高一峯深深失望，「你不支持我？」

女郎已把大門打開送客。

高一峯咬一咬牙，離開女友寓所。

方宇婣自離婚後一直沒有放過他，這十年高一峯走到哪裏，她跟到哪裏，甚至避到溫哥華、倫敦、悉尼，過一兩日，她便會出現，永不落空。

若高一峯沒有女伴，她只站在一角不動聲色觀看，若有女伴，她便盡力騷擾，這十年來，她恃着妝奩生活，竟什麼事都不幹，專門釘梢，使高一峯寢食不安，她恨他到情願犧牲一切來使他受罪！

高一峯恐嚇過她，也曾把整件事交給警方處理，統統不得要領，一次又一次，方宇婧神出鬼沒，突然現身，經過多年糾纏，她越戰越勇，一股怒氣發自內心，一雙眼睛綠油油，高一峯看見她，比見鬼還怕。

當晚，他回到自己家裏，發覺渾身是汗，他坐下來，斟一杯烈酒，灌下喉嚨。

眞不知交了什麼霉運，碰上一個那樣的異性，多少人，年年換女伴，摔掉了加踩兩腳，對方往往都打落牙齒和血呑，若無其事地宣稱「還是朋友」，偏偏他高一峯就毀在前妻手中。

他覺得非常非常疲倦，掙扎地爬上床，忽然胸膛抽緊，他突覺不妥，伸手想撥電話，可是已經沒有力氣，頹然倒下。

天亮了。

方宇嫦一直守在車子裏，視線從來沒離開過前夫居住的大廈公寓。

這種變態的狩獵已是她生活的全部，她甚至帶了食物飲料，整晚監視前夫行蹤。

今日，已經過了上班時分，高一峯尚未出現，奇怪，這是怎麼一回事？

就在此際，警號聲大作，一輛警車與救護車駛到大廈門前停止，方宇嫦知道不妥，連忙下車，奔到附近打探。

大廈門口已經聚着三個好奇的人。

一個鐘點女工模樣的中年婦女像是哭過，向鄰居訴苦：「是十二樓丙座的高先生，今早我開門進屋收拾，發覺他倒在床上，已經停止呼吸，於是立刻通知管理處報警……」

方宇嫦呆呆地站一旁，動彈不得。

救護人員抬着擔架下來，吆喝讓路。

擔架上的人用整塊白布覆蓋，證實已氣絕身亡。

方宇端一個箭步上前掀開白布，立刻被人推開斥責，可是她已經看清楚那張灰白色面孔確屬於高一峯。

什麼，就這樣以爲可以擺脫她？當年她不願分手，他居然單方面申請離婚，花了十年工夫，總算叫他知道世上沒有那麼便宜的事。

如今，他竟以爲一死便可一了百了。

方宇端一聲不響，上車離去。

一定要快，過去經驗告訴她，稍一猶疑，便會失去他的影蹤，一定要釘得緊緊，眼睛都不能眨一下。

無論他到何處，他都會看到她。

方宇端發誓她會徹底報復。

回到家，方宇端像往日進行長途追蹤前作出準備一樣，穿戴整齊，不

過這一次，她要到更遠的地方去。

方宇嫦推開長窗，站到露台上，她扭曲面部肌肉，像是在笑，又更像是哭，快，要趕上去收拾高一峯，莫讓他逍遙法外。

她閉上雙目，奮力躍下。

光是看高一峯那驚怒神色已然值回一切。

懺悔

病人躺在床上，不住按鈴叫看護。

當值的是馬利威爾遜，金髮藍眼，笑容一如天使，可是她對這名亞裔病人束手無策。

他已病了一段時期，很明顯，已達彌留狀態，可是不知怎地，心情惡劣，不能平靜，像是有許多話說，又渴望有人陪伴。

馬利看過病歷表，知道他叫王朝光，六十八歲，華人，患肺癌。

在醫院住了近半個月，從來沒有親友來探望過他。

今日，是中國人大節，農曆新年除夕，他一個人孤零零在醫院大房間躺着。

已經替他注射過鎭痛劑，可是他輾轉反側，不住在床上挪動，使盡力氣，不知爲何掙扎。

馬利不忍，用英語同他說：「你想睡一覺嗎？何處不舒服，可以告訴我嗎？」

病人只是啊啊連聲，甚爲驚怖，看到病人如此痛苦，馬利不禁惻然。

她想到一個辦法，匆匆出房去，在三樓婦產科找到好友張麗萍。

「麗萍，請你幫幫忙，我那裏有位病人，可能過不了今晚，他像是有許多煩惱，神情非常激動，可是不諳英語，你們同文同種，他看到你也許會安樂點。」

張麗萍莫名其妙，「可是我——」

「來，救人要緊。」

麗萍看看時間，她剛到下班時間，助人爲快樂之本，她隨馬利乘電梯到七樓。

夜深了，醫院走廊雖然光亮——也有陰森感覺。

馬利一推開病房門，即可聽見病人呻吟之聲。

馬利猜測不錯，老人一見張麗萍，已經呼出一口氣，靜了下來，麗萍緩緩走到他身邊，替他收拾凌亂的被褥，又輕輕拍拍他的手。

病人示意要喝水，麗萍扶起他，把杯子遞到他嘴邊。

馬利鬆口氣，「我且出去照顧別的事。」

麗萍頷首，表示願意留下。

她看清楚了病人，像一切絕症患者，他受到肉體上極大折磨，心靈亦已殘缺不堪，死亡對他來說，應是一項解脫。

病人掙扎着說：「我有話講。」

麗萍嗯地一聲。

在柔和的燈光裏，她秀麗端莊的臉容在雪白的看護帽子制服襯托下看上去十分聖潔，老人用混濁的雙目凝視她，忽然歎息一聲。

「你眞像一個人，」他停一停，「她叫陳金蓮，是我小表姐。」

麗萍不作聲，靜靜聽病人傾訴。

「你會聽我懺悔嗎，這件事要是不說出來，我死不瞑目，事實上，我自從做了這件事之後，從無一夜睡得安穩。」

麗萍點點頭。

老人喘息幾下，「金蓮是我表姐，比我大一歲，我一直暗戀她。」那骷髏似臉龐露出一絲笑意，看上去可怖之至，「爲着她，一切都是值得的，只聽她說聲你好嗎，空氣都因此甜蜜起來。」

窗外有救護車嗚嗚聲劃破寂靜。

老人的神情轉爲痛苦：「好景不常，讀大學之際，金蓮認識了同校醫科學生方某，他倆如形附影，寸步不離，」他咬牙切齒，「我被妒忌嚙咬，寢食不安，心中只餘恨恨恨，不住燃燒，我覺得小表姐無情，那方某又恥笑我，我一定要報復！」

他咳嗽起來，幾乎力竭了，可是片刻雙眼又發出亮光來，堅持把話說完。

麗萍知道這種現象叫迴光反照，很多時候，病人臨辭世的時候會有片刻清醒。

他說下去：「我終於想到報復的辦法。」

麗萍挪動一下身子。

「你還年輕，又住在外國，恐怕不知道近代歷史，讓我告訴你吧，彼時我們國家內戰，兩黨鬥爭，急急誅殺排除異己，我在妒火燃燒之下，竟跑去舉報方某，指他是敵方地下黨員。」

麗萍的白帽子彷彿顫動一下。

「稍後，方某人便遭逮捕，又過了一陣子，聞說遭到槍決，我滿心以爲，金蓮可重歸我所有，可是，唉，眞想不到，」他忽然握住看護的手，「她竟會服毒自盡。」他渾身發抖，顯然是痛苦到極點。

麗萍只得再給他喝一口水。

老人頹然倒下，「這便是我的罪行，我若不說出來，死不瞑目。」

麗萍握着他的手。

「我一日比一日後悔，不知如何贖罪，後來，我學會了做生意，我賺

了不少錢，辦孤兒院，捐獎學金，以爲多做善事可換心安，可是一閉上雙目便看到他們渾身鮮血，二人微笑着向我走近……」

這一次，他是眞的力竭了，聲音漸漸微弱，眼睛裏精神逐漸消逝。

他喉嚨扯氣，雙手掩住胸膛。

張麗萍是個有經驗的看護，知道病人不行了，按動警鐘。

馬利趕進來的時候病人剛剛咽氣，睜着眼睛，面部肌肉扭曲，樣子猙獰。

馬利扯上白布覆住他的面孔。

這時，麗萍同馬利說：「你明知我是土生兒，根本不曉中文，一個字聽不懂，爲何叫我前來？」

馬利笑笑，「又何必聽懂，他不過想在臨終前找個同胞傾訴平生委屈，你已做了件好事。」

麗萍點頭，「我雖然不知他說些什麼，也聽得出他非常激動。」

馬利笑着複述文豪福克納的名句：「生命充滿聲浪與憤怒，毫無意義。」

兩個年輕的看護離開病房，忙着去應付其他病人的需要。

無情

那中年人在店裏逗留了有一段時間了，像是對選購什麼一籌莫展。

他約莫四十餘歲，身段維持得極好，穿着裁剪講究的西服，他的面孔很熟，曾在報章財經版上出現過無數次，他是個名人。

售貨員洪小清一直微笑，靜待一旁，等客人作出決定。

他一進店門，小清便認得——客人是本市鼎鼎大名的財閥于錦祥。

于錦祥近日在娛樂版上頗出鋒頭，因爲他的女友許玲娜是著名演員，而當許玲娜傳出婚訊的時候，新郎卻不是他。

小清當然裝作完全不認識他的樣子。

這個世界很奇怪，越是無名小卒，越是希望有人認識他，可是眞正名人，又往往希望做回一個普通人，一次，同事不知好歹，請一位時常上來的歌星簽名，從此以後，歌星不再光顧，怕被騷擾。

又過半晌，客人咳嗽一聲。

小清連忙輕輕問：「我可以建議什麼嗎？」

「是這樣的。」于錦祥說：「我有一個朋友要結婚了，我想挑選一件有紀念價值的禮物。」

由他親自撥出時間來挑選，這個朋友，一定十分重要，聰明伶俐的小清，忽然意味到他口中的朋友可能是許玲娜。

小清不動聲色，「我們店裏的銀器與水晶都是送禮佳品，請來看這套銀餐具。」

于錦祥看了看款式，「嗯，這套花樣太複雜，她極有品味，喜歡比較簡單現代的線條。」

小清連忙說：「請過來這一邊。」

于錦祥滿意了，「有配對的茶具嗎？」

「有。」小清示意他到玻璃櫃邊選購。眞是難得。

對于錦祥這種人來說，時間就是金錢，手段闊綽不稀奇，難得的是，他肯在她身上花心思。

洪小清雖然只是旁觀者，卻已有點感動。

只聽得他輕輕說：「她很喜歡請客，十二人餐具應該夠了吧。」聲線異常溫柔，像是回想到他們在一起的好日子。

小清納罕，既然仍有情愫，爲什麼沒把她留住了？

銀器取出來，于在注意到銀壺上有一個微小凹痕。

小清連忙說：「我們倉裏有貨，一定完美。」

于錦祥笑笑：「她正是個完美主義者。」

小清頷首。

「就是這套好了，我會叫秘書同你聯絡。」

小清連忙多謝顧客。

可是他又猶豫了，「她會喜歡嗎？」

小清立即答：「一套銀器幾乎可以用一輩子，最有紀念價值。」

于錦祥滿意了，臨走時丟下一句話：「女孩子們都希望可以正式結

婚。」表情無限惆悵。

小清送到門口。

他什麼都可以給她，可是不能與她結婚，他有元配，夫人娘家勢力宏大，他有所顧忌，她不能再等，只得悄悄離去。

小清想，這是另一類盪氣迴腸，在功利至上的都會中，已算難得。

第二天早上，秘書來了。

他是個年輕人，十分客氣，由他開出支票，並且寫下送貨地址。

他輕輕說：「收件人是許玲娜小姐。」

小清若無其事地答：「是。」

像那個名字同王小珍或張玉芬毫無分別。

年輕人像是十分欣賞這一點。

「于先生的意思是，一定要在上午送到，下午許小姐不在家。」

他想她親自收到禮物，親手拆開，小清明白這一份情意。

「于先生覺得貴店服務很好。」

「過獎了，應該的。」

年輕人去後，小清親手打點那份大禮。

老闆看見，十分詫異，「最近很少有人這麼大手筆，客人是誰，認識嗎？」

小清微笑，「我眼拙，沒認出來。」

她把每一件餐具檢查過才放進絲絨盒子，然後命人準時送出。

過幾天，小清閱報，知道許玲娜已偕夫婿往希臘蜜月旅行。

她收到厚禮時一定慶幸前頭人對她如此眷戀吧。

只有少數幸運女子才有這種福氣，通常來說，人一走，茶就涼，十分無奈。

那一天，小清像平常一樣，開了店門做生意。

玻璃門推開，一位女客走進來。

小清眞有眼前一亮的感覺，那張艷妝的臉，亮麗到極點，一雙大眼睛黑白分明，閃爍動人，這不是許玲娜是誰。小清連忙迎上去。

美人未語先笑，「請問貴店可否退貨？」

小清立刻回答：「十四天內可退回現款。」

她呀一聲，「已經過了兩個星期了。」

小清說：「如無損壞，我們可以七折收回。」

她立刻笑：「好極了。」

她跑出店門，朝人打個招呼，一個司機模樣的壯男立刻把幾大盒東西捧進店內。

許玲娜活潑輕快地說：「你點收吧，我都沒拆開過，我根本用不着這一類餐具。稍後我來拿退款。」說畢轉身離去。

小清怔在那裏，一句話都說不出來，這正是于錦祥花了整個上午細心挑選的銀器。

竟被退回來折現，太不見情了。

小清深深惋惜。

這時，老闆進來看見，「噫，」她說：「多情卻被無情惱。」

通靈

范上俊最反對靈異之說。

連帶討厭人家看相算命占卜測字扶乩。

有一次，同事請了堪輿師來驗一驗辦公室風水，也受他冷嘲熱諷。

「啊！風水好便不幹了，都可回家翹起二郎腿吃用不愁。」

同事對他十分容忍，但笑不語。

「這裏放一隻魚缸，那裏插三枝竹葉，均可擋煞？難怪江湖術士財源滾滾而來。」

他亦恨惡特異功能，「一隻瓶子裏的藥丸搬來搬去，是眞的又怎麼樣，國運會因此亨通嗎，人民會有何得益？」

換句話說，他是通通不相信。

范上俊性格活潑豪爽，從不信邪。

約會異性，看到某小姐腕上若纏有紅繩之類，必定放棄，他至怕人迷信。

一併連氣功也反對。

一位功夫師傅循循善誘：「范先生，人體內有氣——」。

被他一句話打斷：「人當然有氣，若果無氣，即係斷氣，怎麼活得下去。」

人家只好僵在那裏。

范上俊一生不看中醫，他說：「尤其反對孩子吃中藥，腦膜炎之類急症非立時三刻送醫院急症室會有性命之虞。」

親友同他說：「許多癌症病人都在研究中藥。」

這次輪到范上俊不去與他們爭辯。

一日下班，同事們竊竊私語，看到范上俊，不約而同噤聲。

范上俊笑問：「在說何人是非？」

大家答：「你。」

「我有什麼不妥？」

「你大概不會跟我們去算一算前程。」

范上俊心中有氣，「年輕人，前程靠雙手努力。」

同事們大笑，「他眞信勤有功戲無益，滿招損謙受益。」

范上俊氣結，「也好，與你們同流合污一次。」

那個算命的地方並不如他想像中那般腌臢陰森，那是一家中藥店後堂，擺着一張酸枝枱子，幾張西式椅子。

一旁有人在煎中藥，香聞十里。

范上俊覺得很舒服，他選比較遠的一張椅子坐下。

不消片刻，一位中年女子從走廊走出來，衆同事都露出尊重恭敬的樣子來，說道：「五姑娘，有事請教。」

范上俊心中暗暗好笑，這大抵是什麼半仙了，自稱通靈，能知過去未來。

女子皮膚白皙，衣服整齊，相貌普通，可是一雙眼睛炯炯有神，抬眼

之間，目光掃遍全場，范上俊一凜。

同事們紛紛出聲請教前途，都得到中肯的答覆，十分滿意。

輪到范上俊，他不語，只輕輕咳嗽一聲。

那五姑娘稍帶寒意的目光又掃到他臉上。

她看他半晌，輕輕說：「這位先生不用看。」

范上俊忍不住問：「爲什麼？」

她站起來，「我就說這麼多。」

同事們不在意，紛紛付出相金。

待他們都踏出店堂，過了馬路，范上俊忽然說：「我回去買包陳皮梅。」

同事拉住他，「一起去喝啤酒吧。」

「你們先去，我隨後跟來。」

「我們在牛與熊酒館。」

范上俊與他們擺擺手，匆匆忙忙過馬路，他心不在焉，沒有看清交通燈號，一輛紅色小跑車刹車不及，險些撞到他身上。

他可以聽到途人的尖叫聲，電光石火間范上俊避過那輛車，不敢遲疑，直向那間藥房奔去。

他喘着氣，呼，好險。

抬起頭，認清招牌，拉了拉外套衣襟，他走進後堂去找五姑娘。

他須把話問清楚。

五姑娘還在後堂，正收拾桌面上的筆與紙。

他的語氣不大友善，問道：「為什麼我不用問前程？」

五姑娘抬起頭，看見是他，不以為忤，「范先生既然不相信，何必再問。」

「我沒有前程？」

五姑娘頷首。

「危言聳聽，怪力亂神。」

五姑娘收斂笑容，「范先生，宇宙間充滿奇異力量，人類實踐科學知識有限，你緣何執着？」

范上俊冷笑，咄咄逼人，「你眞可判生死陰陽？」

五姑娘無懼，「是。」

「大言不慚，你到說說，我何時生，我何時死？」

那五姑娘雙目露出極其憐憫的神色來，「范先生，你眞糊塗。」

范上俊一怔，「我不明白你說些什麼。」

五姑娘走到窗前，將百葉簾拉開，「范先生，請看。」

范上俊走近，往街上看去，只見途人圍成一堆，正在看熱鬧，救護車嗚嗚駛抵，一輛紅色小跑車的司機正受警察盤問。

范上俊奇問：「這是什麼事？」

五姑娘回答：「車禍。」

「有人受傷嗎？」

五姑娘忽然微微笑，「你還沒看清楚？」

只見護理人員把傷者抬到擔架上放下，那年輕男子穿着灰色西裝，好不眼熟，然後，范上俊看到他那灰白色毫無生氣的臉龐，不禁驚怖地嚎叫起來，他看到了自己。

那是他，那是范上俊！他原來根本沒能避開那輛跑車。

這時，五姑娘轉過頭來，溫柔地說：「我若不能通靈，又焉能與陰靈說話。」

意外

門鈴一響，阮綺娜親自去開門，門外正是朱勝律師，她臉色一沉，問道：「陳啓宗在什麼地方？」

朱勝拎着公事包進門來，神情有點尷尬，「他十分鐘後即來。」

阮綺娜冷笑一聲，「今日是他最後一次機會，這次如果談不攏，你叫他乖乖等五年吧。」

朱勝坐下來，掏出手帕抹了抹汗，「綺娜，已經七年的夫妻關係，大家留些餘地。」

阮綺娜氣憤道：「是他逼虎跳牆。」

朱勝不由得苦笑，「他也是這麼說，他說是你趕狗入窮巷。」

「他窮？你倒是相信他。」

朱勝把文件攤開來，「綺娜，你們是我的朋友，賢伉儷結婚時，我還是證婚人——」

「多可笑，多諷刺。」

朱勝鬆了鬆領帶，「綺娜，他的帳目，你最清楚，房子已經歸你，首飾他不打算討還，車子是已出之物，現款方面，他說他實在沒有那麼多。」

綺娜惱怒地斥責朱律師：「你們男人說到底還是幫男人。」

「沒有的事，我是實事求是，這樣拖下去，對大家都不好，離婚切忌拖泥帶水，搞得雙方形象大壞，以後不好見面。」

「對不起，我並不打算再與他見面。」

「綺娜，他女友已經懷孕，他渴望嬰兒出生時有個名份。」

「恩情已斷，叫他爽快付鈔。」

「綺娜，我知道你非常生氣。」

阮綺娜一聽，反而靜下來，她坐在朱律師對面，歎口氣，「我心已死，沒有感覺，以後吃粥吃飯，看的是這筆贍養費，我能不爭取嗎。」

朱勝這時抬起頭來，他額角都是汗珠，「綺娜，請給我一杯冰水。」

阮綺娜有點警惕，「你覺得熱？要不要脫掉外套？」

她到廚房去倒冰水，兼捧出水果盤來。

她苦笑說：「實在不能減價了，這不是街市買菜，討價還價。」

阮綺娜抬起頭，發覺朱律師整個人伏在桌子上，一動不動。

她連忙放下手上的杯碟，過去看他，「朱勝，你怎麼了？」

她推了推他，他的手跌下來，只見朱律師雙目微睜，嘴巴張開，可是，臉色灰藍，一點生氣都沒有。

綺娜大驚，連忙撇下他去撥三條九。

才拿起電話，門鈴響了，她只得先去開門。

門外站着的是她前夫陳啓宗，刹那間她渾忘他倆之間的恩怨，氣急敗壞地說：「啓宗，你來得正好，朱勝突然之間暈厥，我剛要叫救護車。」

陳啓宗大驚失色，一個箭步搶進，「人在哪裏？」

他一探老友鼻息，頭頂如澆了一盆冰水，「綺娜，他已經死了。」

阮綺娜渾身顫抖，連忙撥通緊急號碼，可是情急間未能清楚交待事實，陳啓宗在她手中取過電話把情況報告一次。

「是，是，明白，我們會逗留在現場直到警方抵達。」

阮綺娜問：「需要多長時間？」

「約五分鐘左右。」

綺娜忽然說些毫不相干的話：「效率眞高。」

陳啓宗則問：「他倒下來之前有痛苦嗎？」

綺娜迷茫地答：「一切如常，他正勸我放你一馬。」

「看情形是心臟病發。」

綺娜歇斯底里地笑，「那多好，一點痛苦也沒有，這樣暢快便離開這個世界，是我夢寐以求。」

陳啓宗忽然也笑，「室內三個人，一死兩傷。」

阮綺娜覺得滑稽到極點，神經反而鬆弛下來。

陳啓宗喝着原先斟給朱勝的冰水。

「記得嗎，我們叫他未勝律師，朱同未只差一撇，字形差不多。」

綺娜頷首，「他是個好好先生。」

「好人早死，我都不知怎樣向他家人交待。」

「早上好端端出來上班，晚上沒能回去。」

綺娜輕輕把手放在朱勝肩膀上。

「警方叫我們別碰他。」

綺娜縮回手。

陳啓宗對他說：「臨死之前一刻還在爲我爭取，朱勝，我感激你。」

綺娜輕輕說：「朱勝，抱歉這場離婚官司叫你頭痛不已。」

「他不止一次說過難爲左右袒。」

綺娜抬起頭來，想了一想，「他一直擔心我倆終於會撕破臉。」

「綺娜，我希望你成全我。」

阮綺娜看着朱勝律師藍灰色的面孔，他微張着嘴像是在盡最後努力勸說：「綺娜，不要蹉跎你自己寶貴時間。」

綺娜悄悄流下眼淚，禍福竟是如此不測，眼看朱勝活生生踏進她家門，有說有笑，剎那間伏倒，失去知覺，離開人間。

經此一役，還有什麼好看不開的。

阮綺娜此時淡然一笑，「陳啓宗，你拿得出多少就多少好了。」

陳啓宗如蒙大赦，「謝謝你，綺娜，我不會虧待你。」

這時，他們聽見警車與救護車嗚嗚趕至。陳啓宗連忙去開門。

綺娜蹲到朱勝面前，低聲說：「好朋友，我不打算再爭，一飲一食，莫非前定，多謝你給我的啓示。」

救護人員已經吆喝着把擔架抬進來，警察隨即命他們二人到警局錄口供。

擾攘大半年的複雜事宜，終於在這五分鐘內達成協議。

亦舒系列 ⊙ 亦舒系列 ⊙ 亦舒系列

97 可是當年人面（散文）
98 譬如朝露（中篇）
99 風滿樓（長篇）
100 滿院落花簾不捲（中篇）
101 紅的燈綠的酒（短篇）
102 烈　火（長篇）
103 古老誓約（中篇）
104 七姐妹（長篇）
105 玻璃珠的歎息（短篇）
106 紫微願（長篇）
107 三個願望（中篇）
108 封　面（短篇）
109 阿修羅（長篇）
110 推荐書（散文）
111 我們不是天使（長篇）
112 小朋友（短篇）
113 一把青雲（長篇）
114 男男女女（短篇）
115 練習本（散文）
116 聽我細說（短篇）
117 傷城記（長篇）
118 迷迭香（長篇）
119 鐘　情（短篇）
120 痴情司（長篇）
121 賣火柴女孩（短篇）
122 連　環（長篇）
123 鏡　子（短篇）
124 弄潮兒（長篇）
125 慰寂寥（短篇）
126 預　言（長篇）
127 美麗的她（短篇）
128 表態書（散文）
129 美麗新世界（長篇）
130 晚　兒（短篇）
131 一千零一妙方（長篇）
132 金粉世界（短篇）
133 求眞記（短篇）
134 心扉的信（長篇）
135 仲夏日之夢（短篇）
136 變　遷（短篇）
137 生活誌（散文）
138 不要愛上她（短篇）
139 小宇宙（長篇）
140 沒有季節的都會（長篇）
141 老閑話（散文）
142 表　演（短篇）
143 他人的夢（短篇）
144 尋芳記（長篇）
145 天若有情（長篇）
146 縱橫四海（長篇）
147 年輕的心（短篇）
148 假夢眞淚（長篇）
149 銀　女（長篇）
150 天秤座事故（長篇）
151 流　光（短篇）
152 生活之旅（長篇）
153 月亮背面（短篇）
154 變形記（長篇）
155 皮　相（散文）
156 在那遙遠的地方（長篇）
157 藍色都市（短篇）
158 寂寞夜（短篇）
159 絕對是個夢（長篇）
160 禿　筆（散文）
161 如何說再見（長篇）
162 燈火闌珊處（長篇）
163 偷　窺（短篇）
164 紅　塵（長篇）
165 仕女圖（短篇）
166 舊　雨（散文）
167 不易居（長篇）
168 鏡花緣（長篇）
169 隨　想（散文）
170 承歡記（長篇）
171 三小無猜（短篇）
172 寒武紀（散文）
173 密　碼（短篇）
174 隨　意（散文）
175 寂寞鴿子*（長篇）
176 隨　心*（散文）
177 憔悴三年*（短篇）
178 美嬌嬈*（長篇）

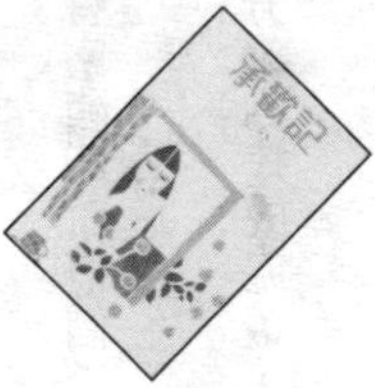

*即將出版

亦舒系列 ⊙ 亦舒系列 ⊙ 亦舒系列

①荳芽集 （散文）
②荳芽集二集 （散文）
③荳芽集三集 （散文）
④家明與玫瑰 （短篇）
⑤玫瑰的故事 （長篇）
⑥自白書 （散文）
⑦珍　珠 （中篇）
⑧曼陀羅 （長篇）
⑨薔薇泡沫 （長篇）
⑩留英學生日誌 （散文）
⑪獨身女人 （中篇）
⑫舒雲集 （散文）
⑬舒服集 （散文）
⑭我的前半生 （長篇）
⑮寶　貝 （短篇）
⑯星之碎片 （中篇）
⑰香雪海 （長篇）
⑱歇脚處 （散文）
⑲販駱駝誌 （散文）
⑳兩個女人 （長篇）
㉑藍鳥記 （短篇）
㉒黑白講 （散文）
㉓風信子 （中篇）
㉔喜　寶 （長篇）
㉕野孩子 （長篇）
㉖回南天 （短篇）
㉗五月與十二月 （短篇）
㉘今夜星光燦爛 （短篇）
㉙偶　遇 （短篇）
㉚自得之場 （散文）
㉛開到荼蘼 （長篇）
㉜舊歡如夢 （短篇）
㉝花事了 （短篇）
㉞散　髮 （短篇）
㉟暮 （短篇）
㊱過　客 （短篇）
㊲戲 （短篇）
㊳心之全蝕 （中篇）
㊴退一步想 （散文）
㊵壁　人 （短篇）
㊶她比煙花寂寞 （長篇）
㊷可人兒 （中篇）
㊸白衣女郎 （短篇）
㊹傳　奇 （短篇）
㊺胭　脂 （長篇）
㊻今夜不 （短篇）
㊼剎那芳華 （散文）
㊽琉璃世界 （短篇）
㊾杜鵑花日子 （短篇）
㊿小火燄 （中篇）
51不要放棄春天 （短篇）
52哀綠綺思 （短篇）
53蝴蝶吻 （短篇）
54無才可去補蒼天 （散文）
55曾經深愛過 （長篇）
56豈有豪情似舊時 （散文）
57阿細之戀 （短篇）
58雨　花 （中篇）
59朝花夕拾 （長篇）
60我　醜 （中篇）
61我之試寫室 （散文）
62藍這個顏色 （中篇）
63惱人天氣 （短篇）
64沒有月亮的晚上 （長篇）
65貓兒眼 （短篇）
66拍案驚奇 （中篇）
67請勿收回 （中篇）
68精　靈 （短篇）
69紅鞋兒 （短篇）
70圓　舞 （長篇）
71試　練 （短篇）
72戀　後 （短篇）
73且自逍遙沒誰管 （散文）
74金環蝕 （短篇）
75安琪兒寫照 （短篇）
76小玩意 （長篇）
77樂未央 （散文）
78玉梨魂 （中篇）
79伊　人 （短篇）
80綺　惑 （長篇）
81一個夏天 （短篇）
82說故事的人 （短篇）
83流金歲月 （長篇）
84一段雲 （短篇）
85花裙子 （短篇）
86異鄉人 （長篇）
87忽爾今夏 （長篇）
88歎息橋 （長篇）
89得魚忘荃 （散文）
90莫失莫忘 （中篇）
91意綿綿 （散文）
92人淡如菊 （長篇）
93西岸陽光充沛 （長篇）
94有過去的女人 （中篇）
95石榴圖 （長篇）
96說明書 （散文）